受験生は謎解きに向かない

ホリー・ジャクソン

高校生のピップにある招待状が届いた。高校卒業および大学受験に必要な試験のひ[illegible]が終わった6月末、友人宅で架空[illegible]の犯人当てゲームが開催され[illegible]台は1924年の孤島に建つ[illegible]設定だ。参加者は同級[illegible]ゲーム開始早々、館[illegible]されているのが[illegible]すべき自由研[illegible]なかったピッ[illegible]の姪に扮して[illegible]ップの明快な推理を[illegible]やかで楽しい『自由研究には[illegible]殺人』前日譚！

登場人物

ピッパ（ピップ）・フィッツ＝アモービ……リトル・キルトン・グラマースクールの十二学年。十七歳
カーラ・ワード……ピップの親友
ローレン・ギブソン……ピップの親友
アンソニー（アント）・ロウ……ピップの同級生、友人
ザック・チェン……ピップの同級生、友人
コナー・レノルズ……ピップの同級生、友人
ジェイミー・レノルズ……コナーの兄

受験生は謎解きに向かない

ホリー・ジャクソン
服部京子訳

創元推理文庫

KILL JOY

by

Holly Jackson

Originally published in English by Farshore, an imprint of HarperCollins Publishers Ltd, The News Building, 1 London Bridge St, London, SE1 9GF under the title: *Kill Joy*

This edition is published by TOKYO SOGENSHA Co., Ltd.
Translated under licence from HarperCollins Publishers Limited through The English Agency (Japan) Ltd.

受験生は謎解きに向かない

シーリア・ボーン様（別名、ピップ・フィッツ＝アモービ）

わたしの七十四回目の誕生日を祝う夕食会に謹んで貴殿をご招待申しあげる。家族全員がそろう週末に、貴殿にもぜひお越し願いたい。忘れられない一夜になることをお約束する。

場所：ジョイ島のレミー・マナー——スコットランドの西岸沖、わたしが所有する島にある屋敷《マナー》にて。本土からの船は一日一便、午後零《れい》時《じ》きっかりに出航するという点に留意されたし。島までは二時間の船旅となる。
（とはいえ、実際にはコナーの家）

日時：今週末（次の土曜日、午後七時半）

ご来島をお待ち申しあげる

レジナルド・レミー
（けれど、実際にはこの招待状はおれ、コナーから）

招待状を開いて詳細をおたしかめください。

Kill Joy Games™

あなたの役柄

このマーダー・ミステリ・ゲームであなたが演じる役：

シーリア・ボーン

年齢は二十九歳で、レジナルド・レミーの姪。レジナルドはレミー一族の当主であるとともに、ロンドンの〈レミー・ホテルズ・アンド・カジノ〉帝国のオーナー。あなたは孤児。両親はあなたが幼いころに死亡し、生存する親類はレミー家の面々のみだが、彼らからは同家の一員とみなされていない。その点について、また、途方もない金持ちであるレジナルド・レミーが経済的な援助をいっさい拒んでいる点について、あなたは苦々しく思っている。現在は裕福な家族の住み込みの家庭教師としてロンドンで働いている。

当日の服装

一九二四年に遡《さかのぼ》り、当時のよるべない二十代の女性らしい服装で参加されたし。ローウエストのイヴニングドレスが最適かと思われる。ヘッドバンドとフェザーボアを着用のこと。

KILL JOY GAMES™

ほかの配役

1、ロバート・“ボビー”・レミー
-レジナルド・レミーの長男-
演じる人物：アント・ロウ

2、ラルフ・レミー
-レジナルド・レミーの次男-
演じる人物：ザック・チェン

3、リジー・レミー
-ラルフ・レミーの妻-
演じる人物：ローレン・ギブソン

4、ハンフリー・トッド
-レミー・マナーの執事-
演じる人物：おれ——コナー・レノルズ

5、ドーラ・キー
-レミー・マナーの料理人-
演じる人物：カーラ・ワード

マーダー・アンド・ミステリという忘れがたい一夜のために、各自しっかり準備すること。

KILL JOY GAMES™

1

親指が赤く染まり、皺《しわ》や指紋の渦巻《うずま》き模様が浮かびあがっている。ピップは迷路のような模様をじっと見つめた。目を細めると、血に見えてくる。そんなわけはないけれど、〝これは血だ〟と思いたければいくらでも目をだませそう。実際にはM《マ》・A《ッ》・C《ク》のルビーウーで、〝外見を完璧に一九二〇年代ふうにする〟ならこれを塗らなきゃとママが言い張った赤のリップスティック。ピップはつけているのをしょっちゅう忘れ、またしてもなんの気なしに口に触れて、今度は小指の先が赤くなった。血痕じみたあとがあちこちにつき、白い肌のせいでいやでも目立ってしまう。

レノルズ家の前に到着する。この家は顔に見えるといつも思う。いまも目さながらの窓が見おろしてくる。

「さあ、着いたよ、ピックル」パパが車の運転席で言わずもがなのことを言った。振りかえって満面の笑みを向けてくる。黒い肌に皺が寄り、〝夏のあいだにためしにのばす〟と言ってママを呆れさせているあごひげには白いものがまじっている。「楽しんでおいで。

きっと死ぬにはうってつけの夜になるぞ」

ピップはうめいた。どれくらいまえからこう言おうと決めていたのだろうか。となりにいるザックがお義理で笑っている。ザックとは近所同士。チェン一家はアモービ家の四軒先に住んでいるので、目的地が同じときはいつもどちらかの家の車に乗って出かけ、帰りもいっしょに帰る。ピップはすでに十七歳になっているので自分の車を持っているけれど、この週末、愛車はガレージに置いてある。おそらくパパはかなりまえから娘たちを送っていこうと決めていて、そしていま、娘とその友人は殺人《マーダー》がらみの寒い冗談に耐えるはめになっている。

「言いたいのはそれだけ?」ピップは黒いフェザーボアを腕に巻きつけながら言った。肌がいつにも増して白く見える。ドアをあけ、父に呆れ顔を向ける。

「おお、きみの瞳に殺される」パパはちょっとばかり調子に乗りすぎている。

まあ、いつだってパパのジョークはひとつでは終わらない。「はいはい、じゃあね、パパ」ピップはそう言って車から降りた。反対側のドアからザックも降りて、ミスター・アモービに乗せてくれた礼を言っている。

「楽しんでおいで。ふたりとも、殺しのドレスに殺しのブレザー、カッコいいよ!」

しつこいよ、パパ。鬱陶《うっとう》しいと思いつつも、笑わずにはいられない。

「ああ、そうだ、ピップ」ふざけるのをやめて父が言う。「帰りはカーラのお父さんが送ってくれるはずだ。ママとわたしが映画から帰ってくるより先にきみが帰宅したら、バーニーが用を足せるよう、散歩に連れていってくれるかい?」

「わかった」手を振って父を見送ったあと、ピップはザックと並んで玄関ドアまで歩いていった。今日のザックの恰好には思わず笑ってしまう。紺色の縞《しま》が入った赤のブレザー、こざっぱりした白いズボン、黒の蝶ネクタイに、ストレートの黒髪を覆うカンカン帽。小さな名札には〝ラルフ・レミー〟と書いてある。

「さてと、行くよ、ラルフ」そこでドアベルを押す。もう一度。こんな遊びはさっさと終わらせてしまいたい。たしかに、ここ数週間はみんなそろって顔をあわせることはなかったし、こういう催《もよお》しはきっと楽しいだろう。でも、結局は遊びなんだし、家にはやるべき作業が残っている。どう考えても時間のむだだ。とはいえ、内心を隠すのはわれながらじょうずだと思う。言っておくけれど、楽しいふりをするのは嘘をつくのとはちがう。

「お先にどうぞ、シーリア・ボーン」ザックが笑顔を向けてくる。どうやらわくわくしているらしい。こっちも少しはノリノリのふりをして、笑みを返すくらいはしなくては。

ドアをあけたのはコナーだったけれど、もはやコナー・レノルズとは別人のようだった。もとのブロンドに色つきのヘアワックスを塗っている。そのせいで髪はグレイに変わり、きっちりとオールバックに整えられている。目尻のあたりには茶色のフェイスペイントで線が描かれている。察するに、皺のつもりのようだ。黒のディナージャケット――おそらく父親から借りたもの――を着て、白いベストと蝶ネクタイをあわせ、片方の腕にティータオルをかけている。

「こんばんは」コナーは深々とお辞儀をした。それと同時にグレイの髪の一部が垂れさがる。「ようこそレミー・マナーへ。わたしは執事のハンフリー・トッドです」〝ハン〟にアクセントをおいて言う。

甲高《かんだか》い声とともに、ローレンがコナーの背後の廊下にあらわれた。着ているのは赤のフラッパードレスで、膝《ひざ》のあたりでフリンジが揺れている。茶っぽい赤毛を覆い隠すバケットハットをかぶり、胸もとのビーズのネックレスが〝リジー・レミー〟の名札にあたっている。「こちらがわたしの夫？」興奮を抑えきれないようすで言い、さっと飛びだしてきて困惑顔のザックをつかまえ、家のなかへ引っぱっていった。

「みんなもうずいぶん盛りあがってるみたいだね」コナーについて廊下を歩きながらピップは言った。

「そうらしいな。よかったよ、ピップが来てくれて。これでみんな少しは正気に戻るだろう」コナーが冗談めかして言う。

ピップは笑顔を見せ、内心の〝こんなのは時間のむだ〟を押し隠した。

「ご両親はいるの？」

「いや、この週末は出かけている。ジェイミーも。家はおれらのものだ」

ジェイミーはコナーの兄で年は六歳上だが、大学を中退したあともずっと実家に住んでいる。あの当時、レノルズ家の空気がぴんと張りつめていたことや、長男の現状について家族がみな言葉を選んでいたことをピップはよく覚えている。いまでは〝大学中退〟はレノルズ家の禁句のひとつになっている。

コナーとともにキッチンに入る。すでにローレンはザックを引っぱりこんでいて、さっそく飲み物を手渡している。カーラとアントもいて、そろいのグラスには赤ワインが注がれている。手に入る酒で適当につくるいつもの飲み物に比べたら高級酒と言えるだろう。

「アロー、マダム・ピップ」親友のカーラがコックニー訛《なま》りをまねて挨拶したあと、すぐとなりに来てフェザーボアをいじり、おかげでボアはエメラルドグリーンのドレスの肩からずり落ちた。オーバーオールが恋しい、とせつに思うこっちの気も知らずにカーラが言う。「すてきなドレス」

「カーラのはポンドランド（イギリスの百円ショップ）に売ってるやつみたい」ピップはカーラの服装を見て言った。

カーラが着ているのは古くさい黒のワンピースで、料理人用の白くて丈《たけ》の長いエプロンをつけ、アッシュブロンドはグレイのバンダナで覆われている。フェイスペイントで皺らしきものを顔に描いていて、コナーのよりはそれらしく見える。「カーラが演じる役の想定年齢は何歳？」ピップは訊いた。

「えーっと、けっこう年寄り。五十六歳」

「八十六歳に見える」

アントが鼻で笑い、ピップは彼のほうを向いた。アントの恰好はみんなのなかでいちばん奇抜かもしれない。ピンストライプのスーツは小柄な身体にはぶかぶかで、光沢のある白いネクタイを締め、黒い山高帽をかぶり、鼻の下に大きな口ひげを貼りつけている。

「自由と夏に」アントはワイングラスを掲げ、ひと口飲んだ。そのときに口ひげがワインにつかり、グラスを戻したときにはワインの滴《しずく》がひげにくっついていた。

アントの言う〝自由〟とは、ASレベルの試験（高校卒業および大学入学に必要な資格はAレベルと呼ばれ、通常二年間で数科目を履修する。ASレベルの試験とは一年目の最後に受ける試験のこと）を終えたことを意味している。いまは六月の終わりで、みなが同じ町に住み、同じ学校へ通っているとはいえ、ここしばらくはこうして六人全員が集まることはなかった。

「まあ、そうだね」とピップ。「でも、〝夏〟っていうのはどうかな。学期はあと一カ月、残っているわけだし。それと、自由研究で得られる資格《エクステンディッド・プロジェクト・クオリフィケーション》（Aレベルの試験を受けるのと並行して独自におこなう自由研究のこと）の志望書をそろそろ提出しなきゃならないし」やっぱり、もう少し〝内心を隠すふり〟の練習をする必要がありそう。でも致し方ない面もある。家を出るときに遊びにいく罪悪感から胸のなかで警告音が鳴り、たしかに昨日、試験は終わったかもしれないけれど、この週末は自由研究《プロジェクト》に着手すべきではと問いかけてきたのだから。ピップ・フィッツ＝アモービには〝試験休み〟なんか不要だし、いまは自由を謳歌《おうか》している場合じゃない。

「呆れた、ひと晩くらい休んだっていいんじゃないの？」ローレンが携帯電話に目と指を走らせながら言う。

　アントが付け加える。「おれらが宿題を出してやるよ、それで気分が晴れるんなら」

「とにかく、ピップのことだから、もうEPQのテーマは決まってるんでしょ」カーラがコックニー訛りを忘れて言う。

「まだ」ピップは答えた。そこが問題なのだ。

「マジか」アントが大げさに驚いたふりをする。「頭、だいじょうぶか？　救急車を呼んでやろうか？」

　ピップはアントに向けて中指を突き立ててから、やや浮き気味のつけひげを指で弾いた。

「何人《なんぴと》もひげに触れてはならん」アントはそう言って一歩さがった。「神聖なものだからな。それに、これがはがれ落ちたら、下の本物のひげまで抜けてしまう」

「本物のひげをたくわえてるみたいに聞こえるんですけど」ローレンが携帯から目をあげもせずに鼻先で笑った。ローレンとアントは昨年、つきあう寸前までいったことがあり、あわせて四回くらい、酔っぱらってキスしている場面を目撃された。目下のところ、彼氏のトムからローレンを引きはがすのは至難のワザで、いまローレンが携帯でやりとりしている相手は間違いなくトムだろう。

「さて、紳士淑女のみなさん」コナーが咳払《せきばら》いして、棚から次のワインとピップ用のコークを取りだした。「よろしければダイニングルームへご案内いたします」

「客じゃない料理人のあたしも？」とカーラが訊く。

「あなたもです」コナーは笑みを浮かべ、一同の先頭に立って廊下を進み、家の奥にあるダイニングルームへ向かった。十二歳のころ、コナーが家のなかでスケートボードに乗ったときにつけた傷あとがまだドア枠に残っている。当時ピップはコナーに〝やめなよ〟と言って無視されたが、いまも〝やめよう〟と言ったところで、誰も耳を傾けてはくれないだろう。

コナーがドアをあけると、なかからくぐもった甲高い音が聞こえてきて、少ししてそれは部屋の隅に置かれたアレクサから流れるジャズだとわかった。ダイニングテーブルの幅が広げられていて、その上に十字の折り目がついた白いテーブルクロスが敷かれ、テーブルのまんなかでは赤い蠟《ろう》が垂れた三本の細長いキャンドルの火が揺れている。

すでにテーブルはセットされていて、皿とワイングラス、ナイフとフォークが置かれている。各皿には小さな名札がのっている。ピップは〝ジーリア・ボーン〟を探した。見つけて、ドーラ・キー——カーラ——とハンフリー・トッド——コナー——のあいだの席についた。正面にはアントがすわっている。

「ディナーにはなにが出てくるんだい？」アントのとなりの席についたザックが空の皿をなでながら訊いた。

「そうそう」カーラが口をはさむ。「あたし、つまり料理人のドーラは、ディナーになにをおつくりすればいいんですか、執事さま」

コナーがにやりと笑った。「今晩のメニューはドミノ・ピザにしたんじゃなかったかな。マーダー・ミステリ・パーティーの接客に加え、大勢のお客さまのディナーの用意まではとても手がまわらないときみは思ったんだよね」

「そうです、そうです、シェフの特別料理の宅配ピザです」カーラはそう言って、ワンピースの上に重ねたエプロンのしわをのばして席についた。

椅子にすわったあと、ピップは皿の右側に置かれた〝キル・ジョイ・ゲーム——レミー・マナー殺人事件〟というタイトルが表紙に印刷された小冊子《ブックレット》に目をやった。そこには自分の役名も載っていた。〝シーリア・ボーン〟と。

「ブックレットにはさわらないで」とコナーが言い、ピップは出しかけた手をあわてて引っこめた。

コナーは広い窓の前に立っている。外はまだ明るいものの、夕方になって厚い雲が流れてきたせいで、窓の向こうは少しずつ暗さを増している。強くなってきた風が庭の隅に植わっている木々を揺らし、音楽の切れ目には風のうなる音が聞こえてくる。

「さて、まずは」コナーがタッパーウェアを掲げて言う。「みなさんの携帯をここに入れてください」

「えっ⁉ ちょっと待ってよ」ローレンがうんざり顔を見せる。

「こちらへ」コナーはザックに向けてタッパーウェアを振った。ザックはまわりには目もくれずに携帯を手渡している。「いまは一九二四年ですから。そんな時代に携帯電話なんかあるわけないんでね。それに、みなさんにはゲームに集中していただきたい」

アントが自分の携帯をタッパーウェアに入れた。「そうだよな。ローレンはのべつ幕なしにボーイフレンドにテキストメッセージを送るだろうから」

「そんなことない！」ローレンはブスっとしながら携帯電話をタッパーウェアに入れた。

ほかのメンバーは黙っている。でもみんな、考えていることは同じだろう。静けさのなか、ピップは二階で物音がするのを耳にした。足を引きずって歩くような音が。いや、ちがう、それはありえない。今日は家には自分たちだけしかいないとコナーは言っていた。空耳にちがいない。それか、風がなにかを揺らす音か。

ピップは自分とカーラの携帯電話をまとめてみんなの携帯の上に置いた。

「ありがとう」コナーは執事ふうのお辞儀をして言った。タッパーウェアを部屋の奥のサイドボードの上にいったん置いたあと、うやうやしく引き出しのなかに入れ、最後に小さな鍵で施錠する。次に鍵を手に取って、暖房用放熱器《ラジエーター》の上に置く。ピップはローレンがコナーの動きを目で追っているのを見ていた。

「さて、いまからみなさんにはご自分の役になりきっていただきます」とコナー。言葉は鼻で笑っているアントに向けられている。

「了解。おれはボビー」アントはそう言って腕をザックの肩にまわし、付け加えた。「おれたちは兄弟だ」

ピップはふたりを眺めた。ふたりはシーリア・ボーンのいとこのボビー・レミーとラルフ・レミー。甘やかされて育ったおぼっちゃまたち。

「たいへんけっこうでございます」とコナーが返す。「ですが、われわれはレジナルド・

レミーさまの七十四回目の誕生日を祝うディナーのために集まっているのに、その席に本人があらわれないというのはおかしくありませんか？」そこで間《ま》をおき、ひとりひとり、順に目を向けていく。

「はい、えっと、とってもおかしいと思います」とカーラ。

「伯父さまにしてはめずらしい」とピップ。

ザックがうなずく。「父さんはけっして遅れないのに」

コナーが満足そうに笑みを浮かべた。「レジナルド・レミーさまはこのお屋敷のどこかにいるはずです。レジナルドさまを探しにいきましょう」

みながコナーを見つめた。

コナーが同じセリフを繰りかえす。「レジナルドさまを探しにいきましょう、と申しあげました」

「えっと、そのお、彼を実際に探しにいくわけ？」ローレンが訊いた。

「はい。どこかにいらっしゃるはずなので。手分けして探しましょう」

ピップはすっくと立ちあがり、みなとともに音も立てずにダイニングルームを出た。そう、レジナルド・レミーはいまごろは殺されているはず。つまるところ、これはマーダー・ミステリ・ゲームなのだから。でも、自分たちはいったいなにを見つけるのだろうか。

死んだ男の写真かなにか？

　廊下を進んで戸棚の前を通りすぎたとき、そこに一枚の紙が貼ってあるのに気づいた。〝ビリヤード室〟と書かれている。

　ザックが戸棚の扉をあけてなかをのぞきこんだ。「父さんはビリヤード室にはいないようだ。それと、ここにはビリヤード台もない」

　カーラとアントは〝図書室〟と貼り紙されているリビングルームのドアにどちらが先にたどりつくか、身体をぶつけあいながら競いはじめた。一方、ピップは反対側の階段のほうへ足を向けた。ザックがすぐ後ろからついてくる。さっき耳にした物音はダイニングルームの上から聞こえてきた。それは間違いない。でもなんの音？　家には自分たちだけしかいないのに。

　ザックとともに階段をあがる。のぼりきったところで二手にわかれ、ザックは恐る恐るといった感じでコナーのベッドルームのほうへ向かい、ピップはそれとは反対の、ダイニングルームの真上にあたる部屋へ歩を進めた。たしかこの部屋はコナーの父親の部屋だけれど、今夜はドアに〝レジナルド・レミーの書斎〟と貼り紙されている。

　押しあけるとドアがきしんだ。なかは暗く、ブラインドが黄昏《たそがれ》どきの最後の光をさえぎっている。ぼんやりした影だらけの部屋にしだいに目が慣れてきた。いままで一度もここに足を踏み入れたことはなく、不安で首のあたりがざわついた。果たして勝手に入りこんでもいいのだろうか。

奥の壁際に置かれた机の輪郭が目に入った。すぐそばにあるのはキャスターつきの椅子だろう。けれどもなにかがおかしい。机に向かっているはずの椅子がこっちを向いている。椅子の輪郭以外の影が見える。椅子になにかが置いてある。もしくは、人がすわっている。

胸のなかで心臓の鼓動が速まるのを感じつつ、壁に指を這わせて明かりのスイッチを探す。スイッチに触れ、息を詰めて電気をつける。

黄色い明かりがつき、部屋のなかを照らしだした。思ったとおりだった。誰かが椅子にすわってうなだれている。心臓がずしりと重くなり、腹のなかに不快感が広がる。目に入るのは血だけ。

血にまみれている。

2

椅子にすわっているのはコナーの兄のジェイミーだった。

身体はぴくりとも動かない。

目は閉じられ、頭はおかしな角度で垂れさがっている。かつては白かったはずのシャツの前側は血で染まり、電灯に照らされて真っ赤にぎらついている。

ピップは頭が真っ白になり、血から目が離せなくなった。

「ジェ、ジェイ――」声をかけようとしても、言葉は食いしばった歯に阻《はば》まれて出てこない。ただひたすらジェイミーを見つめる。ちょっと待って……動いている。身体を震わせ、胸を上下させているように見える。

ピップは一歩、足を踏みだした。目の錯覚《さっかく》ではなく、ジェイミーはたしかに動いている。身体を揺らし、胸を上下させ……

……笑っている。こらえようとしつつも、こらえきれないといったふうに。目をあけて、視線をこっちに向ける。

「ジェイミー」ピップは言った。なんだか腹が立つ。ジェイミーに対して、自分に対して。当然、これはゲームの一部なのだ。すぐに気づくべきだった。

「ごめんね、ピップ」ジェイミーはクスクス笑いながら言った。「すごいだろう？　完全に死んでいるようにしか見えないよね」

「ほんと、完全に死んでた」ピップは言い、詰めていた息を長々と吐きだした。近くで見てみると、偽の血は、自分の手についた口紅のあとと同様に、ちょっと赤すぎる。

「ジェイミーがレジナルド・レミーなんだね」とピップ。

「ごめん、答えられない。ぼくは完全に死んでるから」ジェイミーは言い、シャツの上にはおっている明るい紫色のドレッシングガウンの襟《えり》を整えた。「まずい、みんなが来る」

階段をあがってくる足音が響くなか、もう一度うなだれて目を閉じる。

「シーリア、どこにいるんだい？」カーラがコックニー訛りで呼びかけてきた。

「こっち！」ピップは声を張りあげた。

最初に書斎に入ってきたのはすでに二階にいたザックだった。のぞきこんでジェイミーを見たとたんに笑いだす。「一瞬、ほんとに死んでるのかと思った」

ほかのメンバーに後ろから押されてローレンがうめいた。「なに、これ。家にはわたしたちしかいないって言ってたよね、コナー」

「たいへんだ」コナーがいきなり声をあげた。「レジナルド・レミーさまが殺されている！」

「はいはい、見ればわかるし。わざわざありがとね、コナー」とカーラ。

「いまは〝ハンフリー〟だよ」コナーが切りかえす。

少しのあいだ沈黙が降り、みなは期待をこめた顔でコナーを見つめた。そのとき、死体が咳払いをした。

「どうした？」コナーが兄のほうを向く。

「次はおまえのセリフだよ、コナー」できるだけ動きを抑えて死体が言う。

「ああ、そうだった。さあ、みなさん、ダイニングルームへ戻りましょう」とコナー。

「ロンドン警視庁《スコットランドヤード》に電話します……それと宅配のピザ屋にも」

一同は決められた席にふたたびついた。ピップはブックレットをのぞきたい衝動をなんとか抑えた。数分後、ジェイミーがダイニングルームに入ってきた。ただし、もう殺されたレジナルド・レミーではなかった。身に着けているものが血に染まったシャツから清潔な黒いシャツに変わっている。頭には警官用のプラスチックのヘルメット。兄弟だから当然とはいえ、ジェイミーとコナーはよく似ている。ふたりとも顔にそばかすが散り、髪はブロンド。ちがうのは、コナーのほうが華奢《きやしや》で痩《や》せている点と、ジェイミーの髪の色合いが茶色に近い点。どうやら今夜のマーダー・ミステリの司会はジェイミーがつとめるようで、これでコナーは執事役に徹することができる。

「アロー、アロー、アロー」とジェイミー。テーブルの両サイドを見渡せる位置に立って参加者のようすをうかがい、手には〈キル・ジョイ・ゲーム〉のみんなのよりも厚いブッククレットを持っている。「わたしはスコットランドヤードのハワード・ウェイ警部です。殺人事件が起きたとの通報を受けています」

「犯人はサル・シンです！」ふいにアントが大声で言い、まわりを見まわした。笑いが起きるのを期待しているらしい。

テーブルは沈黙に包まれた。

みなが黙りこくるのも当然で、五年以上前、ここリトル・キルトンで殺人事件――本物の殺人――が起きた。いまの自分と同じ年のアンディ・ベルがボーイフレンドのサル・シンに殺され、サルは数日後に自殺した。警察から見れば単純明快な、人を殺したあとに犯人が自殺、という事件だった。リトル・キルトンの至るところに事件を連想させるものが散らばっている。現在、自分たちが通っているのはアンディとサルが通っていた学校だし、アモービ家の前の森はサルの遺体が発見された場所だし、広場にあるベンチはアンディの死を悼《いた》んで寄贈されたものだし、ベル一家とシン一家はまだリトル・キルトンに住んでいて、もちろん彼らは町のなかで目撃される。

もはやリトル・キルトンといえばアンディ・ベル殺人事件、といったふうで、町と事件はつねに同時に語られ、ふたつを切り離すことはできない。自分たちが暮らす場所でこんなにも恐ろしい事件が起きたという事実を、ピップはたまに忘れてしまう。知り合いが事件の関係者だという事実も。カーラの姉のナオミはサルとは親友同士だった。それでピップはサルを知っていた。サルはいつでもやさしく接してくれた。だから彼が犯人だなんて信じたくない。でも、みな口をそろえて言う。疑問の余地はないと。サルがやったのだと。自責の念から自殺したにちがいないと。

ジェイミーを見ると、彼の目にショックの色がうかがえた。ジェイミーはアンディと同学年で、同じ授業をとっていた。

「黙んな、アント」カーラが真剣な口調で言った。料理人のドーラ・キーは跡形もなく消えている。

「まったく」ジェイミーがショックから立ち直って言う。「これぞまさしくボビー・レミーだな。いつでも人の話に横やりを入れて、注目を浴びたがる。さて、さきほど言ったように――」きまずい雰囲気はすでに消えている――「殺人事件が起きた。レジナルド・レミーは殺された。隔絶された私有のジョイ島にいるのはあなたたちだけだし、船は一日にたった一便なのだから、当然、あなたたちのうちの誰かが殺人者だ！」

みな怪訝《けげん》そうに互いに目を向けあうが、カーラがアントの視線を避けていることにピップは気づいた。

「しかし一致協力すれば謎を解くことができ、殺人者に正義の鉄槌《てっつい》を下すことができるでしょう」ジェイミーがブックレットに書かれているらしきセリフを読んでつづける。「そこで」スーパーマーケットのテスコのエコバッグを掲げる。「あなた方ひとりひとりに小さなサイズのノートとボールペンを渡すから、手がかりを見つけたり、仮説を思いついたら、ノートに書きとめてほしい」それからみんなに渡してくれとコナーに頼み、コナーは執事のハンフリー・トッドとしてうやうやしく引き受ける。

ピップは時間をむだにせずにノートの最初のページに自分の名前を書き、メモをとりはじめた。たかがゲームだからそれほど興味があるわけではないけれど、ノートを前にしたらなにかを書かずにはいられない。

「手はじめに、順番に自己紹介するというのはどうかな？」とジェイミー。「もちろん、あなた方は互いによく知っている者同士だろうけれど、わたしとしては容疑者についてももう少し詳しく知っておきたい。ボビー、きみからはじめよう」そう言って、アントに向けてうなずく。

「オーケー」アントが立ちあがる。「ハイ、みんな、おれはロバート・〝ボビー〟・レミー。年齢は三十九、レミー家の長男で、レジナルド・レミーのお気に入りの息子――」そこでザックにからかうような視線を向ける――「まえは〈レミー・ホテルズ・アンド・カジノ〉で働いていて、父さんから事業を引き継ぐ予定だったけれど、数年前に自分は身を粉《こ》にして働くタイプではないと気づき、それ以降はロンドンで気ままに暮らしてる。ありがたいことに、いまだに父さんは生活費を払ってくれてる。いや、払ってくれてた。ああ、かわいそうな父さん。いったい誰がこんなことを？」そこで芝居がかったようすで胸をつかむ。

「オーケー、次」ジェイミーがザックを指さす。

「ハイ、みんな」ザックは立ちあがり、テーブルを囲む面々におずおずと会釈した。「わたしはラルフ・レミー、レジナルドの次男で、年は三十六。〈レミー・ホテルズ・アンド・カジノ〉で働いていて、この数年間、事業を引き継ぐために父から指導を受けていた。父は引退してからしばらくたつけれど、それでもまだ事業に関する重要な決定を下していた。父とわたしはチームとしてうまく機能していた。えーっと……そうだ」となりのとなりにすわるローレンを指さす。「こちらがわたしの愛妻、リジーだ。結婚して四年で、ふたりでとても幸せに暮らしている」ローレンの席まで行ってぎこちなく肩をぽんぽんと叩き、また自分の席に戻る。

「次はわたし?」ローレンが立ちあがる。「リジー・レミー、旧姓はタスカーで、三十二歳です。ラルフと結婚していて、レジナルドの義理の娘にあたります。はい、とても幸せです」そこでザックに微笑《ほほえ》みかける。「家業に携わっていて、旗艦《きかん》店であるロンドンのカジノで支配人として働いています。レミー家の人間ではないと思う人がいるかもしれませんが、わたしは一族のなかの重要な地位にいます。わたしからは以上です」

「次はわたしの番」ピップは言い、立ちあがりながらフェザーボアの位置を直した。ばかばかしいと思うけれど、いまここにいるんだし、それなら楽しんだほうがいい。そうするうちに家で待ちかまえているプロジェクトの志望書のことを忘れられるかもしれない。やだ、結局また志望書のことを考えてる。「わたしはシーリア・ボーン。年齢は二十九歳。レジナルド・レミーはわたしの伯父。幼いころに両親が死んだので、レミー一族はわたしの唯一の親族です。そのことを彼らに思いださせなきゃならないみたいだけど」そう言って、並んですわるアントとザックに鋭い視線を送る。「みんなが一族の企業で働いているなんてうらやましい。わたしは〝おまえも働け〟って誘われたことは一度もない。いまはロンドンで住み込みの家庭教師として働いていて、とても感じのよいご一家の子どもたちに勉強を教えています」

「おお、わたしの刑事の勘が、いまここの空気が張りつめているのを感じとっている」ジェイミーが警察官のヘルメットを軽く叩きながら言う。「さて、あとはこの屋敷の奉公人の方かな？」カーラとコナーのほうを向く。

「はい、わたしはハンフリー・トッドと申します」コナーが椅子から立ちあがって言った。

「年は六十二。この二十年、ここ、レミー・マナーで執事として奉公しております。外界から隔絶された場所に住むのは、けっして容易《たやす》いことではありません。わたしには娘がおりますが、頻繁《ひんぱん》に会いにいくことはできません。ですが、レミーさまはつねに相当額の給料を払ってくださいましたし、わたしはご主人さまに対しこのうえない敬意を抱いておりました。毎日、顔をあわせているあいだに、レミーさまとわたしはよき友人同士になっていたように思います」

アントが鼻で笑った。「奉公人と友だちになるやつなんていないよ」

「ボビー――」ザックが驚き顔をアントに向けた――「そんなひどいことを言うもんじゃない」

「おっしゃるとおりですね、サー」コナーは申しわけなさそうな表情を浮かべてアントに向かって一礼し、腰をおろした。

「最後に残ったのが重要人物」カーラがみずからをそう評して立ちあがった。コックニー訛りが戻っている。「あたしはドーラ・キー。八十六歳に見えるって陰口を叩かれたことがあるけれど、年はまだ五十六」そこで意味ありげにこっちを見る。「レミー・マナーの料理人です。ほんとのところ、それほど長くつとめているわけじゃない。雇われたのは六カ月くらいまえ。以前はもっとたくさん奉公人がいたらしいけれど、奥さまが亡くなってからご主人さまは人を減らしはじめたみたい。でも、料理人がいないと生きていけないってレジナルドさまは気づいたんじゃないかな。結局あたしと年寄りのハンフリーが残り、ふたりでお屋敷を切り盛りしている。骨が折れる仕事だけどね」

「たいへんけっこうです」とジェイミー。「さて、ひととおり自己紹介が終わったところで、わたしから初動捜査で判明した内容をお話ししましょう」声に出して読みあげる。「ゲストはすべて昨日、つまり金曜日に、週末をこの屋敷で過ごすために本土から同じ船でやってきました。レジナルド・レミーは七十四歳の誕生日を迎えた今夜、書斎で心臓をひと突きされて死亡。即死だったと思われます。遺体に防御創がないことから、犯人はレジナルドが信頼する者で、その人物は疑いを抱かせることなくレジナルドに近づけた」

ピップは聞いた内容を走り書きした。すでに二ページ目に入っている。

「それでは次なるタスクに取りかかりましょう。死亡時刻におけるみなさんのアリバイを確認します。よろしければお手もとのブックレットの最初のページを開いてください。先は読まないように」

ピップはブックレットを手に取り、皿の上で開いた。さっと最初のページに目を通し、コナーとカーラがのぞきこんできていないのを確認してからもう一度読み、シーリアの秘密を知った驚きが顔に出ないよう、表情を取り繕《つくろ》った。

あなたのアリバイ

レジナルドの死亡時刻にどこにいたかと尋ねられたら、ベッドに入って昼寝をしていたと答える。あいにくアレルギー症状が出て、誕生日の盛大なディナーのまえに少し休んだほうがいいと考えたため。

このラウンドでは：

・ほかのゲストのアリバイに注意深く耳を傾ける。

・リジー・レミーがアリバイを話しだしたら疑問を投げかける。彼女はその時刻に風呂に入っていたと話すので、それはおかしいと反論すること。理由は、上階の者が風呂に入っていたらお湯が排水管を流れる音が部屋にいるあなたにも聞こえるはずなのに、今夜はその音がいっさい聞こえなかったから。

3

「まず取りかかるべき仕事は」ジェイミーはテーブルの両サイドを見渡せる位置に置かれた椅子にすわった。「レジナルドが最後に目撃されたのはいつか、そして目撃したのは誰かをあきらかにすること」

「ああ、それならわたしでしょうね。わたし、ラルフです」ブックレットを見てうなずきながらザックが言い、顔をあげた。指をブックレットの上に置いている。いましゃべっている箇所を指しているのだろう。「リジーとシーリアとわたしは――」そこでローレンとこっちを順に見やる――「父とともに図書室でお茶を飲んでいました。料理人が――」カーラに会釈――「お茶といっしょにスコーンとケーキを運んできました。お茶のひとときがすむと、女性たちが先に図書室をあとにし、わたしは父に手を貸して正面階段まで行きました。父は誕生日のディナーのまえに書斎でいくつか仕事を片づけると言っていました。それが午後五時十五分ごろです」

「そのあとでレジナルド・レミーを見た人はいますか？」ジェイミーが警察官のヘルメッ

トをこつこつ叩きながら一同に問いかけた。

〝いいえ〟とつぶやく声が二つ、三つあがり、みな首を振って視線をさまよわせた。

「わかりました、五時十五分ですね」ジェイミーが言い、ピップはその時刻を書きとめた。

「そのあとでピップ――失礼――」目を細めてこっちの名札を見る――「シーリアが午後六時半ごろに遺体を発見した。あっ、ゲーム上の時刻であって、実際の時刻ではありませんよ」こっちが眉根を寄せたのに気づいたらしく、ジェイミーが付け加える。「さて、これで殺人がおこなわれた時間帯が限定されました。五時十五分から六時半のあいだです。それで――」間をとって、メンバーに順番に目を向ける。「あなた方はこの一時間十五分のあいだ、どこにいましたか？」

最初に答えたのが、執事のハンフリー・トッド役のコナーだった。「わたしはこのダイニングルームにいて、テーブルをセッティングしていました。特別な機会にはナイフやフォークなどがきっちり磨《みが》かれていることをご主人さまは望んでいらっしゃいました」

「証言を裏づける証拠はあるのかい？」アントがボビー・レミーになりきって横柄《おうへい》な口調で訊いた。

「いまあなたがついている、このセッティングされたテーブルが証拠となりますよ、坊ちゃま」コナーが腹立たしげに言う。「その時間でなければほかにいつ、わたしに会場の準備をする時間があったとお思いですか？」

「ボビーはどこにいたんだい？」弟役のザックが訊いた。「図書室にお茶を飲みにこなかったよな、来ると思っていたのに。それどころか、午後じゅうずっと姿が見えなかった」

「監視されてるみたいだな」とアント。「知りたければ教えてやる。おれは自分自身を見つめるために散歩に出ていたんだよ。崖のあたりまで。おまえならさあ、ラルフ――」兄弟らしい気安さでザックを見やる――「どうしてだかわかるよな」

「わたしも島内の散歩に出かけた」とザック。「父さんと別れたあと、島の南側を散策した。スコーンを消化させてディナー用に胃のスペースをあけるために」

「そうなんですか？」カーラがテーブルに両肘《りょうひじ》をつき、料理人のドーラ・キーとして言う。「それは妙だね。あたしもそのあたりにいたのに、ラルフ、あなたを見かけませんでしたよ。何時にどこそこにいた、とかは正確には言えないんですけどね、刑事さん――」ジェイミーを見ながら言う――「ここしばらくキッチンの時計が壊れているんで。でも問題の時刻に島の南側にある野菜畑まで歩いていったのはたしかです。そのときに誰かを見た覚えはありませんねえ」

「互いにべつの道を通って、顔をあわせなかったというだけの話じゃないかな」ザックがテーブルの向こうからカーラに言った。

「そうかもね」とカーラ。「で、あなたはどうなんだい、ピップ——おっと、いけない——シーリア。あなたも島のなかを散策してたとか？」

ピップは咳払いをした。「いいえ、そうしたかったのはやまやまでしたけれど。実際には島に到着してからずっとアレルギーの症状が出ていて、今晩のために体調を整えなければと思っていました。それで、図書室でお茶を飲んだあと、ディナーのまえはベッドに入って身体を休めていました」

「どこのベッド？」とアント。

「もちろん、わたしの部屋の」ピップは自分でもびっくりするくらい、あわてて答えた。守りの構えに入っている？　シーリアは実在の人物ではないのに、どうして彼女を守ろうとしてる？　注目を集めすぎている。誰かにみなの関心を向けさせなくては。「リジー、あなた、ずいぶん静かじゃない。あなたはどこにいたの？」

「わたしの番ね」ローレンはにっこり笑った。「えっと、お茶を飲んでいたときに、手やなんかにジャムがついちゃって、ディナーのまえにお風呂に入ってさっぱりすることにしたの。だから、その時間にわたしがいたのは、部屋のバスタブのなか。お風呂に入っている音が聞こえたでしょう、シーリア」

「一時間十五分も？」ピップは切りかえした。

「わたしは長風呂なの」

「ふーん、でもそれは妙だわね」ピップは顔をしかめた。「上階と下をつなぐ排水管がわたしの部屋のすぐ脇を走っているから、誰かがお風呂のお湯を流したらその音が聞こえるはず。盛大に」効果をねらってそこで間をおき、一同を見やる。「今日の夕方は、排水管は静かだった」

カーラが大げさに息を呑んだ。

「あなた、寝ていたって言ったと思うけど」ローレンがうろたえ気味に言う。「寝ていたくせに、どうして物音が聞けるわけ？」

その答えは用意していなかった。

「オーケー、たいへん興味深い話を聞けました」ジェイミーがあごを掻きながら言った。「結局、あなた方は殺人がおこなわれた時間帯に、それぞれおひとりでいたようですね。つまりは、実際のところ、あなた方は全員、アリバイがないということになります」

カーラがもう一度息を呑んでみせたが、空気を吸いこみすぎたのか、咳きこみはじめた。ピップはカーラの背中を叩いてやった。

「そうだとすると」ジェイミーがつづける。「あなた方は全員……ちょっと待った。コナー、ピザは頼んだよな？」

「うん、頼んだ」とコナー。

「よし、念のための確認だ」そう言ってから、ジェイミーは超真剣な面持ちのハワード・ウェイ警部にさくっと戻った。「そうだとすると、あなた方すべてに、殺人をおこなう手段と機会があったことになる。そのうえ動機もあったのは、このなかのどなただろうか」

ジェイミーにちらりと見られて、ピップはぎこちなく身じろぎした。現時点ではシーリアについてはよくわからない。彼女が殺人者という可能性もある。

「初動捜査のときにわたしは書斎であるものを発見しました。凶器を見つけたんです」ジェイミーはテーブルに拳を押しつけ、みんなのほうへ身を乗りだした。「それは遺体のそばに残されていました。指紋はなし。おそらく殺人者は手袋をはめていたか、殺害後に凶器を拭いたのでしょう。凶器はナイフです――キッチンで使われるナイフ」

全員が首《こうべ》をめぐらせてカーラを見た。

「なに!?」カーラは言い、腕を組んだ。「あー、わかった、殺人の罪を哀れな料理人に着せるつもりなんだね？　誰だってナイフの一本くらい、キッチンから持ちだせるだろうに」

「あなたがキッチンにいたら持ちだせないよ」ザックが目を伏せて小声で言った。ザックは誰かと対立するのを嫌う。いまはザックじゃないけれど。

「犯人はあたしじゃない」カーラが声を荒らげて言う。「言ったでしょ、あたしは野菜畑にいたって。疑うならいっしょに来て」そこで立ちあがる。「いっしょに来てって言ってんだよ。証拠を見せるから」

カーラはすごい勢いでダイニングルームから出ていった。

「彼女についていったほうがいいでしょう」ジェイミーがほかのみんなに合図を送る。

これもゲームの一環にちがいなく、おそらくカーラはブックレットに書かれているとおりにふるまっているのだろう。ピップは椅子の脚を床にこすらせて立ちあがり、ノートとボールペンを手に急いでダイニングルームを出て、カーラのあとを追ってキッチンへ向かった。

「おやおや」キッチンに入るなりアントが言い、レノルズ家の円筒形のナイフスタンドを指さした。そこには何本かのナイフが刺さっていて、それぞれの柄《え》と刃の境目にべつべつの色のバンドが巻かれている。「ナイフはまだたくさんある。いったい何人殺す計画を立てているんだい、ドーラ」

「それにしても、あのナイフ、一九二四年にしてはずいぶん現代的なんですけど」とピップ。

「ちょっとみんな、おしゃべりはそのへんにして」とカーラ。「キッチンのどこかにゲストのひとりがあたしに残したメモがあるはずなんだけど。それがあたしの証拠。探すのを

「手伝って」

「それって、これ?」水切りかごに置かれた二枚の皿のあいだから、コナーがひょいと封筒を持ちあげた。いちばん上に〝手がかり#1〟と印刷されている。

「そう、それ」とカーラ。顔に笑みが広がっていく。「みんなに向けて声に出して読んで」

ダーリーン

今晩のディナーのデザートにキャロットケーキをつくってほしい。本日の主役はキャロットケーキが大好物だからね。しっとりタイプを頼む。

――ＲＲ

KILL JOY GAMES™

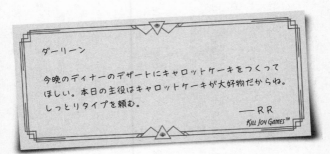

カーラが身震いした。「オエッ、〝しっとり〟って言葉、大嫌い」

「ダーリーンって誰だろう」コナーがメモに目を凝《こ》らしながら言う。

「さあ、それを書いた誰かは、わざわざあたしの名前を覚える気もなかったんだね、きっと」とカーラ。「そういうわけで、あたしはニンジン《キャロット》をとりに、野菜畑まで行かなきゃならなかったんです。もちろん、ご所望のキャロットケーキはつくりましたよ。オエッとなるくらいしっとりしたやつを」

「〝RR〟っていうサインが入ってる」ピップは考えを声に出して言い、アントとザック、つまりロバート・〝ボビー〟とラルフのレミー兄弟のほうを向いた。「あなたたちのどちらかが書いたようね」

ザックの顔にはなんの表情も浮かんでいないが、アントは微笑んで両手をあげた。「オーケー、オーケー」とアント。「そのメモを書いたのはおれだ。父さんのためになにかしてあげたいと思ってさ」

「一度くらいはね」ザックが皮肉っぽい口調で言った。いまや役になりきっている。

「ご存じのとおり、父さんとおれはこのところずっと仲がいいとは言いがたかった。今朝、話をしたときにちょっとばかり険悪なムードになったから、キャロットケーキはその埋め合わせのつもりだった。だが、せっかくのキャロットケーキを目にするまえに、父さんは誰かに殺された」

「ボビー、何時にこのメモを置いたの？」ピップはアントの目をのぞきこみながら訊いた。ボールペンをしっかり握り、書く準備はオーケー。重要な内容はひとつも書きもらしたくないよね？　もちろん、これはゲームだってわかっているけれど、なにごとも見落としたり、聞き逃したりしたくない。

「午前中の遅い時間だったと思う」ブックレットを確認しながらアントが答えた。「そう、十一時ごろ。料理人はここにいなかった」

「ほら、あたしが言ったとおりでしょ」カーラが挑みかかるように言った。

ピップはカーラのほうを向いた。「このメモだけでは〝あたしが言ったとおり〟と言われてもうなずけませんね」

カーラの勝ち誇った表情がかたまり、〝裏切られた〟といったふうに変わった。「いったいなにを言ってるんだい？」すっかりドーラ・キーの声に戻っている。

「ボビーは十一時にこのメモを残した」ピップは説明しはじめた。「十一時以降なら、いつあなたが野菜畑に行ったとしてもおかしくない。だからこのメモじゃ、あなたが殺人の犯行時刻にどこにいたかを証明できない」

「あんたはあたしを嘘つき呼ばわりするわけ？」カーラは言い、すっかり役になりきって軽く小突いてきた。

「付け加えると」ピップはつづけた。「このメモからは、あなたがある時点でキッチンを無人の状態にしていたことが読みとれる。つまり、その隙にわたしたちの誰かがキッチンに入りこんでナイフを持ちだせたってこと」〝誰か〟はわたしかもしれない、とピップは思った。いや、シーリアという意味だけど。「さっきのボビーの話から、メモを残したときにキッチンにはボビーしかいなかったのはあきらか。このメモは彼が凶器を手に入れるための偽装とも考えられ――」

いきなり甲高い音が家じゅうに響きわたり、話が中断された。

またしても、甲高い音。

4

「ドアベルだよ」ジェイミーが悲鳴をあげかけたローレンを見て言った。ローレンはすぐさま悲鳴を呑みこんで咳きこむふりをしたが、怯《おび》えていたのは隠しようもない。〝ピザです、お待たせしました〟の声に玄関ドアへと向かおうとしたジェイミーは、駆けだす直前にふいに思いだしたように警察官のヘルメットを脱いだ。少なくとも、もう血にまみれてはいない。

数分後、コナーが「テキサス・バーベキューだけど、いいよね?」と言い、ダイニングテーブルの向かい側にすわるザックにピザの箱を手渡した。

「あたしゃ、めちゃくちゃ腕のいい料理人だね」カーラが糸を引いたチーズをあごにくっつけて言う。

皿にはピザのスライスが三枚のっているが、ピップはまだ手をつけていなかった。小さなノートに覆いかぶさるようにして、みんなのアリバイと最初に思いついた仮説を書きとめていく。これまでのところ、どの状況を見ても、ボビーにとってあまりかんばしくないように思える。そんなことを考えつつ、アントのほうをこっそり見やる。もしかして、ボビーがあやしいとミスリードされている？　もしくは、アントのウザさに辟易するあまり、〝こいつが犯人でいいや〟と思ってる？　だめだ、客観的に考えなくては。考察から主観や感情を除かなければ。

「オーケー」ジェイミーがピザを皿に戻して言った。ヘルメットが粋《いき》な角度で頭にのっかっている。「背筋も凍る殺人を目撃してもなお、誰の食欲も落ちないとは、わたしとしてはうれしいかぎりです。さて、あなた方が食事をしている最中に、こちらでは犯行現場の初動に継ぐ捜査を終え、非常に興味深い事実を発見しました」

「なんですか、それは」ボールペンをノートのページの上に浮かせて、ピップは勢いこんで尋ねた。いままで自分は間違った考え方をしていたかもしれない。結局のところ、殺人事件を解決するのは宿題をやるのとそれほどちがわないのではないか。その証拠にいま、殺人事件にのめりこんでまわりの世界が消えていく感覚を味わっている。小論文を書いたり、夜にひとりで犯罪実録のポッドキャストを聴いたりしているときと同様に。教師たちは〝みごとな集中力〟と言うけれど、ママはとりつかれているみたいと言って心配している。

「やだやだ、悪魔が目を覚ました」カーラがそう言って、ふざけてあばらのあたりをつついてきた。ふたりが六歳のときからずっと、こっちが真剣になりすぎるとカーラはいつもこうしてくる。「ほらほら、これはたんなるゲームだよ、シーリア」

「奉公人が一族の人間に触れちゃいけないと思うけど」ローレンが相手を見下した顔で言う。

「うるさいよ、ローレン」カーラはワインをごくりと飲んで切りかえした。

「言ったのはリジー」

「ああ、これはこれは、あいすみませんでしたね。〝クソ食らえ〟でございますよ、リジー」

「あははは」ジェイミーが声を立てて笑った。声がややうわずっている。「初動捜査の直後にレジナルドの書斎を調べたところ、家族の肖像画の裏に隠し金庫があって、それがあけっぱなしになっているのが発見されました。中身は……からっぽだった」

カーラがふたたび息を呑む演技をすると、ジェイミーが〝それでよし〟といわんばかりに彼女を見てうなずいた。

「あきらかに」とジェイミー。「何者かが金庫を破って中身を持ちだした。ラルフの話によると、レジナルドは重要な書類を金庫内に保管していたそうです」

「わたしがそう言ったのか？」とザック。

「はい、あなたが教えてくれました」とジェイミー。「持ちだされたのは殺人事件のまえかもしれないし、あとかもしれませんが、いずれにしろ金庫のなかに動機となるものが入っていたと思われます」このゲーム全体の台本とも言える自分用のマスター・ブックレットをちらりと見る。「では、レジナルドはどんな秘密を金庫に隠していたのか。奪われたものがどのようなもので、誰のしわざかはわかりませんが、証拠がまだこの屋敷のどこかに残っている可能性があります。さあ、みなさんで探しにいって――」

これ以上ジェイミーに煽《あお》られる必要はない。ピップはいちばんに立ちあがり、ほかのみんなに笑われるなか、ダイニングルームから出た。どこへ向かえばいい？　キッチンには少しまえにみんなが集まっていた。だから証拠はキッチン以外の場所にあるはず。図書室？　すでに何度か、図書室はゲームのストーリーのなかに登場している。

そこで、リビングルームへ向かった。ドアにセロハンテープでとめられた〝図書室〟の貼り紙がひらひら揺れている。どこからか隙間風が吹きこんでいるようだ。背後からカーラとローレンが階段をのぼっていく音が聞こえてきた。ふたりはレジナルドの書斎へ向かっているのだろうか。なにを探しているにしろ、書斎では見つからないだろう。書斎から盗まれたのだから。

ドア口に立って、リビングルームのなかを見まわす。いつもどおりの場所に置かれた大きなL字のソファと肘掛け椅子。向かい側の壁にはテレビが掛かっていて、ドア口でうろうろしている顔のない自分の幽霊じみた姿が暗い画面に映っている。暖炉の上方に棚がひとつあって、鉢植えの植物がふたつと、本が八冊、置かれている。八冊の本で図書室と呼ぶのはちょっと無理があるけれど、まあいいか。

リビングルームに足を踏み入れる。ソファの肘掛けに新聞が置いてある。確認したところ、それは手がかりではなかった。置かれているのはタウン紙の〈キルトン・メール〉で、開いたページにはハイ・ストリートにおける交通量緩和対策についての記事。書いたのはスタンリー・フォーブスとかいう記者。けっこう気になる記事ではある。

セロハンテープが新聞の上に置いてある。ジェイミーはここで貼り紙の準備をしたのだろう。

背後で床板がきしみ、もうひとりの幽霊がテレビ画面のなかにあらわれ、ピップはぎくりとした。さっと振りかえると、幽霊ではなくザックだった。

「なにか見つかった?」カンカン帽をいじりながらザックが訊いてくる。

「まだ、なんにも」

「なにかの内側にあるかも。本とかの」ザックは暖炉に近づき、上方の棚に手をのばした。本を一冊、手に取り、ぱらぱらとめくってから首を振ってもとの場所に戻す。

ピップはザックのとなりに行き、棚の反対側の端に手をのばした。スティーヴン・キングの『IT』のペーパーバックを取りだして親指でめくっていく。なにかが飛びだして、床にひらひらと落ちていった。

「なんだろう、それ」とザック。

「ゴミかな」腰を落として拾いあげ、それがなにかわかった。「なんでもない。ただの栞《しおり》。ざーんねん」歯嚙みをしながら四百ページあたりにさしいれる。たぶん、このあたりにはさんであったと思う。願わくは、誰も気づきませんように。とくにコナーのパパは。機嫌がよさそうなときでも、コナーのパパはおっかない。

床に片手をついて立ちあがり、本を棚に戻したところではたと手がとまり、目が暖炉に釘《くぎ》づけになった。なにかがある。真っ黒い炭のあいだになにかが散らばっている。ちぎれた白い紙。一枚の紙片の上に〝手がかり〟の文字。

「ザック、じゃなくてラルフ、ほら、見て」ピップは紙片を集め、床に置きはじめた。

「誰かが破ったみたい」

「なんだ、これは」ザックは膝をつき、こっちに協力して暖炉から最後の一片を回収した。

全部で十八片。

「まだなんとも言えないけれど、それぞれに文字が書かれているみたい。タイプされてるように見える。どうにかして貼りあわせなきゃ……そうだ、ザック、ソファからセロハンテープを持ってきてくれる?」

ザックがセロハンテープを手に戻ってきて、短めに引きはがしたテープを歯で嚙み切り、端っこを床に貼りつけた。それを何回か繰りかえし、貼りあわせるためのテープの用意をする。

ピップは紙片にざっと目を通し、文字の一部を見て、とっかえひっかえしながらフレーズや文にしていった。パズルをするみたいに、ぴたりとあうまで並べかえていく。〝遺贈する〟という言葉が繰りかえし使われている点に着目する。「これ、レジナルドの遺言書かなにかみたいだね」そう言いながら、紙片をはめこんでいき文字列を完成させる。一方で、ザックは紙片と紙片のつなぎめにテープをていねいに貼っていった。

廊下から物音が聞こえてきた。足音や笑い声が。ふいに、アントの声も。

「警部、重大な犯罪がおこなわれたことを報告せねばなりません。執事がおれの口ひげを盗みました!」

「できた」ピップは復元した文書を掲げた。テープのせいでつるつる光り、ところどころ文字がつぶれている。裏には〝手がかり#2〟と書かれ、表には〝レジナルド・レミーの遺言書〟と印刷されている。

「みんなに見せにいこう」ザックが立ちあがる。

ピップはダイニングルームへ戻る途中であやうく転びそうになった。書類から目を離せなかったから。あのじいさん、いったいわたしにはなにを遺したんだろう。

「見つけたかい？」ジェイミーがそう訊いて、ピザの耳を口に突っこんだ。ピップは答えるかわりに遺言書を掲げた。警部はほかのメンバーにダイニングルームへ戻り、席につくようにと声をかけた。アントはコナーから奪いかえした口ひげをもとの位置に貼りつけながら最後に入ってきた。口ひげはひとまず鼻の下にくっついているが、いまにもはがれ落ちそうだ。

「シーリアとラルフが、金庫から盗まれたと思われるものを見つけました」とジェイミー。

「シーリア、差し支えなければ、わたしたちのために読みあげてください」

レジナルド・レミーの遺言書

わたし、レジナルド・レミーは、精神状態はいたって正常であり、みずからの最新の遺言書として下記のとおり記す。なお、以前にわたしが作成した遺言書および遺言補足書は無効とする。

息子のラルフ・レミーへ、わたしの後継者とみなし〈レミー・ホテルズ・アンド・カジノ〉のすべての所有権を遺贈する。加えて、ラルフへはジョイ島のレミー・マナー、ロンドンにあるタウンハウス、総額二百万ポンドを遺す。

義理の娘のエリザベス（リジー）・レミーへ、総額五十万ポンドとわたしが所有する競走馬のブルーサンダーを遺贈する。わたしも承知しているとおり、エリザベスはつねに競馬観戦を楽しんでいる。

姪のシーリア・ボーンへ、総額二十万ポンドとわたしの亡き妹（シーリアの母親）によって描かれた絵画を遺贈する。シーリアにとって大いに有意義であると信ずる。

最後に奉公人たちへ、わたしの死後六カ月は、わたしの資産から給与が支払われるものとする。その期間中に新たな雇用主を見つけること。

日付：1924年8月17日
署名：レジナルド・レミー

KILL JOY GAMES™

ジェイミーが背後にあらわれ、こちらの肩ごしに遺言書をのぞきこんだ。

「どうやらこれはつい最近、ちょうど先週に作成されたようですね」と指摘する。

それともうひとつ、明白な事実がある。ピップは音読に集中しながらも、その事実に気づいていた。同時に、メンバーたちのほうへちらちらと視線を送り、〝信じられない〟といった表情をあらわにしている者を探していた。

目をあげて、みんなの顔をじっくり観察する。誰も気づいていないのだろうか。アントは気づいていないらしい。いまは口ひげをいじるのに忙しい。

「みんな気づいた？」ピップはメンバーそれぞれに視線を送り、最後にアントを見据えた。

「気づくって、なにに？」とアント。

「ロバート・〝ボビー〟・レミー」アントに遺言書をさしだして言う。「あなたのお父さまの遺言書にあなたの名前はない」

5

「んなわけないだろ。見せてみな」さしだした手からアントが遺言書をひったくった。書類に目を走らせていく。「マジかよ。父さんはほんとにおれになにも遺してくれなかったのか？　おれは長男なんだぞ。奉公人でさえ恩恵にあずかっているのに」

「わたしたちはそれを暖炉で見つけた」ピップはほかのメンバーに説明しはじめた。「誰かがそれを湮滅《いんめつ》しようとしたらしい。びりびりに破かれていた」

「で、それをやったのがおれだと？」アンドは険《けわ》しい口調で言い、自分の空の皿に書類を落とした。

「兄さんにとって状況はあんまりかんばしくないようだな」ザックが言う。

「どうして？」アントが切りかえす。

レミー兄弟は睨《にら》みあっているけれど、ふたりともいまにも笑いだして演技を放棄してしまいそうだ。緊迫した場面がアントのゆがんだ口ひげのせいで台無しになっている。

「なぜなら」ピップは割って入った。「あなたのお父さまは先週、新しい遺言書を作成して、そこからあなたを排除した。そして今日、誰かが伯父さまの書斎の金庫を破り、遺言書を葬《ほうむ》ろうとした。そうすればまえの遺言書が有効になる。そしてタイミングよく、あなたのお父さまは殺された。あなた、お金に困ってるんでしょ?」

「犯人はおれじゃない」とアント。「金庫を荒らしてないし、遺言書を破ってもいない」

「へえ、そう」カーラが加わる。「いかにも殺人者が言いそうなことだね」

「それに、今朝、伯父さまと話をしたときに険悪なムードになったと言っていなかったっけ?」ピップは走り書きしたメモをちらりと見て言った。「険悪だったのは、あなたの名前を遺言書からはずしたと、伯父さまから言い渡されたからじゃないの?」

「ちがう」アントは襟もとをいじった。「話をするときはいつも険悪だった」

「この状況はなかなか興味深いですね」ジェイミーは言い、マスター・ブックレットを見た。「〝険悪なムードの会話〟にからめてお訊きします。ほかにどなたかこの週末に〝会話〟を耳にしたという方はいらっしゃいませんか? 殺人事件を念頭において、疑わしかったり不適切だと思った会話を。では、ブックレットの二ページ目を開いてください。でもその先は見ないように」

ピップはフェザーボアを払いのけながら急いで自分の席に戻り、ブックレットの次のページを開いた。

このラウンドでは：

・ラルフ・レミーが次のようなエピソードを語る。彼は昨夜、女性が電話でなにやら奇妙なことを話しているのを耳にしたと。“電話で話をしていた女性”とは**あなた**で、それは事実だとあなたは認める。しかし、電話の相手は住み込みの家庭教師としてあなたを雇っている家族の者であり、雇用契約を確認し、仕事に戻る日程について話していただけだと一同に伝える。それをみんなに信じさせること。

・ラルフへのお返しとして、雇用主に電話をかけにいく途中でラルフと彼の父親とのあいだで交わされていた会話を耳にした旨を、メンバー一同に伝える。書斎の前を通りすぎるときに、なかでふたりが声を荒らげて話しているのを聞いたと。ラルフが発したなかでとくに気になったフレーズは以下のとおり。“お父さん、それは無理だ、できない”“この計画はばかげているし、うまくいきっこない”“そんなことをしたら、ただじゃすまない”

読みおえて、ピップは顔をあげた。こっちをじっと見つめているカーラの顔に少しずつ笑みが広がっていくのが目の端に見える。開いたブックレットをカーラには見えないように胸もとに引き寄せ、秘密の筋書をかき抱く。カーラはなにを知っているのだろう。いや、自分はブックレットに夢中になって考えすぎているだけ？

〝それをみんなに信じさせること〟つまり、これから話す内容は事実ではないということだ。なぜシーリアは嘘をつくのか。なにを隠さねばならないのか。シーリアとして自分は嘘をつき、なにかを隠さねばならない。

「えーっと――」アントが咳払いをする。「昨日、父さんと執事の会話を聞いてしまった」コナーが椅子にすわりながら背筋をのばした。「いや、そんなに心配するような内容じゃない」そこで微笑む。「自分の誕生日を恐れていると、父さんがきみに伝えていたってだけ。もちろん、去年の誕生日に起きた出来事を考えれば、その理由は明白だ」

テーブルを沈黙が覆った。

「去年なにが起きたのか、わたしは存じません」とジェイミー。「どなたか教えてくださいませんか？」

「あのですね、警部」アントがジェイミーのほうを向く。「悲劇的な事故が起きたんですよ」

視界の隅でなにかが動き、ピップはアントから視線をはずした。ザックが椅子のなかでびくっとし、手で腕にさっと触れたのだった。ハエかなにかを追い払ったのかもしれない。

「家族全員が父さんの誕生日を祝うためにレミー・マナーに集まっていた」アントがつづける。「午後、おれは母親のローズ・レミーといっしょに島のなかを散歩していた。よく晴れていたけれど少し風があるなかで、ごくふつうに散歩を楽しんでいた。なんであんなことが起きたのか、ほんとうのところはわからない。ただ、恐ろしかった。恐ろしい事故だった」

ザックがまたびくっとし、テーブルの脚を蹴《け》った。もしくは、うっかりぶつけてしまったのか。

ピップは目を凝らしてテーブルの向こう側のザックを観察した。三十秒のあいだに二度もびくっとするなんておかしい。アントがなにを言ったのか、頭のなかで再現してみる。ちょっと待って、ザックの動きにはひとつのパターンがある。びくっとしたのは、二度ともアントが〝事故〟と言った直後だ。ザックはわざとやったのだろうか、それともこっちの考えすぎで、なにもないところになにかを読みとろうとしているのか。

「おそらくおれは母さんの前を歩いていたんだと思う。なにが起きたのか、はっきりと見ていないんだから」とアント。「でも悲鳴を聞いて振りかえると、母さんが崖から落ちていくのが目に入った。おれたちはかなり高いところにいた。医者によると、母さんは落下の衝撃で即死だったそうだ」そこでうつむいてため息をつく。「母さんがよろけたのか、なにかにつまずいたのかはわからない。恐ろしい事故だった」

今回はしっかり観察できた――ザックから目を離さずに見つめていたから。ザックはびくっとし、指でうなじをぎこちなくさすって、一瞬こちらと目をあわせた。そう、ザックはわざとびくっとしたのだ。偶然にしては回数が多すぎる。彼のブックレットにびくっとする、とかなんとかが書いてあるにちがいない。兄が〝事故〟と言ったらそのたびに反応しろと。それはなにを意味する？　あきらかにラルフ・レミーは母親の死が事故だったとは思っていない。おそらく、ボビーが母親を押した、ボビーが母親を殺したとひそかに思っているのだろう。

ピップはノートをつかみ、いま考えた内容を箇条書きであわてて書きとめた。

「母さんが死んだあと、父さんはすっかり人が変わってしまった」アントが小声で言った。

「そうだね」ザックはアントの背中を軽く叩いた。「あの出来事はすべてが腑《ふ》に落ちなかった。母さんは毎日、崖のあたりを散歩していた。つねに用心して、けっして崖っぷちを歩こうとはしなかった」

「そのとおり」アントは同意したが、ザックの言葉はまったくちがうことを意味しているのだとピップは確信した。ザックは兄が母親を殺したと考えている。そして今回は父親までも殺された。機能不全に陥《おちい》った家族。その家族から歓迎されていないのは、こちらにとってかえってよかったのかもしれない。

「悲劇」ジェイミーが重々しくうなずく。「レジナルドの誕生日に二度も悲劇が襲った。ほかにどなたか、奇妙、あるいは疑わしげなことを、この週末に耳にした方はいらっしゃいますか？」

ザックが手をあげた。〝さあ、行くぞ〟とばかりにこっちに顔を向ける。〝気合いを入れろよ、ピップ〟

「耳にしました」ブックレットに目をやりながら、ザックはたどたどしく話しだした。「昨日の晩のかなり遅い時間に自分のベッドルームへ行く途中、階下の廊下で誰かがしゃべっている声が聞こえました。女性の声で、電話で話していたんだと思います。わたしはしばらく耳を傾けていました。彼女は数字を伝えていました。〝五、三十一、十二、七〟みたいな感じで、次から次に。その数字になんの意味があるのかはわかりませんでした。奇妙な感じでしたね」そこで間をおく。「そのあとはささやくような小声になったので、わたしには聞きとれませんでした。ひとつだけ、〝終わらせる〟と繰りかえし言っていたのだけは聞こえました」恐る恐るこっちを見る。「リジーの声じゃなかったし、料理人の声とも……」

「わたしの声だったと思っているんなら、きっぱりそう言ったほうがいいわよ」ピップは言い放ち、にっこりと毒をこめた笑みを向けた。

「わかった、あれはきみの声だったよ、シーリア」とザック。「きみはなにをしていたんだい？　電話で誰としゃべってた？」

「まぬけなことを言ったと後悔するわよ、ラルフ」とピップは返した。「少しも疑わしいところはありません。雇い主と話していただけなんだから。あなたはまったく興味がなさそうだったけれどね、いとこ殿、わたしは住み込みの家庭教師として働いていると最初に言いました。裕福なご家族の子どもたちに教えていると。至極当然ながら、伯父さまのお誕生日を祝いにいくために、わたしは休みをとらなければならなかった。電話で雇用契約を確認し、いつ戻ればいいかを訊いた。もちろん、契約を〝終わらせて〟ほしくないから。それと、数字については、雇い主が長男の数学の試験がいつおこなわれるか、その日程を知りたがっただけ」

「雇い主に電話をかけるにしては、やけに遅い時間だと思うけど」ローレンが夫に加勢する。

「あのね、リジー、住み込みの家庭教師っていうのは、一日二十四時間、週七日、つとめなきゃならない仕事なの。嫁いだ先の家から施《ほどこ》しを受けてお気楽に暮らしている人には理解できないと思うけど」

「ほんと、ほんと、そのとおり」カーラが声を立てて笑い、ハイタッチのためにてのひらを向けてきた。

「でもね、ラルフ、〝疑わしい会話〟というテーマはわたしも大歓迎」ピップはテーブルに両肘をつき、組んだ手の関節にあごをのせて言った。「雇い主に電話をかけにいく途中で、わたしもあなた方のひとりがしゃべっているのを耳にしたから」

「事態はますます複雑になってきましたね」コナーが言い、おもむろにペンを手にしたけれど、なにかを書きはしなかった。

「あなた、伯父さまの書斎——殺人の犯行現場——で、伯父さまと喧嘩腰で話をしていたわよね」

「そうかい?」ザックは言い、腕を組んだ。

「ええ。伯父さまと交わしていた会話のなかに、聞き捨てならないフレーズがいくつかあった」そこで確認のためにブックレットをちらりと見る。「あなたは伯父さまにこう言った。〝お父さん、それは無理だ、できない〟そのあとで〝この計画はばかげているし、うまくいきっこない〟書斎の前を通りすぎるときに最後に聞こえてきたのは〝そんなことをしたら、ただじゃすまない〟その後、二十四時間もたたずに殺された男性との口論について、きっちり説明してくださる？」

「もちろん、ぜひ説明させてもらうよ」ザックは言い、ラルフになりきって冷笑を浮かべようとしたみたいだけれど、口の両端がきゅっとあがるだけの、たんなる笑みをこしらえるだけに終わる。「われわれはビジネスの話をしていたんだよ。父さんが築いたホテルとカジノ帝国にまつわる諸問題に関して、これまでふたりでがっちり協力しあい、ともに決断を下してきたからね。率直なところ、このごろビジネスはあまりうまくいっていないんだ。豪華なホテルとカジノを経営する商売敵《がたき》のガーザ家が圧力をかけてきていて」

ふいにカーラが左どなりでふんと鼻を鳴らした。もしくは、なにかの物音か。くぐもった音が外から聞こえた気がする。たぶんなんでもないだろう。ザックの話を聞かなければ……

ザックは警部のほうを向き、説明しはじめた。「ご存じのとおり、ガーザ家はわれわれの長年の商売敵であり、母が亡くなってからはつきあいも途絶え、仲はだいぶ険悪になっています。母はミスター・ガーザの奥方と友人同士で、まあ、少なくとも互いに友好的な関係を保っていました。しかしここ最近は、言葉は悪いですが、ガーザ家はわれわれの縄張りにずいぶんと食いこんできていましてね。それでもまだ、あちらよりもこちらのほうが業績はいいんです……とりあえず、いまのところは。ガーザではなく、われわれのカジノに足を運んでくださるお客さまを引きとめるためのビジネス戦略について、父とわたしは意見が食い違っていました。まあ、そういうことです。ビジネスに関して父とはいろいろと意見が対立していたのはたしかですが、まあまあうまく舵《かじ》取りはできています」

「〝そんなことをしたら、ただじゃすまない〟は？」ピップは訊いた。

「ああ、それはまたべつの話で」とザック。「父はある人物に帳簿をチェックさせたと言っていました。どうやらロンドンのカジノに金を横領している人物がいるらしいんです。おそらく従業員のうちの誰か」

テーブルの非レミー側についている者がレミー家の者をじっと見つめる。

「おいおい、ボビー兄さんをそんな目で見ないでくれ」とアント。「おれはもう何年もまえに親父にクビにされたんだ。だからおれじゃない」

「誰かが盗みをはたらいている？　わたしのカジノで？」とローレン。

「あなたの、じゃなくて、あなたが支配人をつとめているカジノよね、リジー」とピップ。

ザックはうなずいた。「だから調べてみようと言ったんです。ついでに、そんなことをした盗人《ぬすっと》はただじゃすまない、とかなんとか付け加えて。というわけで、疑わしいところなんてひとつもありません」そこで両手を掲げる。

そのとき、また物音が聞こえた。あるいは、外からなにかの音が聞こえたような気がした。窓のほうへ首をめぐらせる。外は暗く、いまや真っ暗闇になりかけている。

「どうした?」とカーラが訊いてきた。

「外で物音がしたような気がする」

「えっ?」とローレン。リジー・レミーのお高くとまった感じは消えている。

「確信はないけれど」

メンバー全員が耳を澄ますものの、アップテンポのジャズがやかましく、サックスの音がすべてをかき消している。

「アレクサ、音楽をとめろ!」コナーが言った。

音楽はやみ、ピップは耳を澄ました。静けさのなかでかすかな音がやけに耳につく。ほかの者たちの呼吸音、自分の舌が唇をなめる音、風のささやき。

ふいにまた聞こえてきた。

暗い庭で大きな音が鳴り響いた。

6

　コナーがさっと兄のほうを向いた。瞳にパニックの色が浮かんでいる。

　ジェイミーは弟の視線を受けとめてから、にっこりと笑った。「おいおい、みんな、怖がりすぎだよ。いまのは物置のドアの音。風で勢いよくあいたりするんだ。なんでもない」

「ほんと？」とローレンが訊く。いつの間《ま》にかアントの腕に自分の腕を巻きつけている。

「だいじょうぶ」ジェイミーが声を立てて笑い、付け加える。「そんなに怖がるなよ、もう子どもじゃないんだから」

「しかたないでしょ、わたしたち、殺人が起きた町《マーダー・タウン》で育ったんだから」ローレンが言いかえし、気まずそうな視線をアントに送って腕を離した。

「幽霊かもしれないぞ」とアント。頰が紅潮している。「そこらにとりついていてもおかしくない、復讐に燃える魂がふたつ」

「アント……」カーラがとがめるような声で言う。

「なんでもないよ」とジェイミー。「あんな音は無視、無視。アレクサ！　もう一度音楽をかけて。ボリュームをあげて。ほら、もう雑音は聞こえない。お子ちゃまのみなさん、今晩は本物の殺人は起きませんから。さて、一九二四年に戻ろう」そこでヘルメットをまっすぐにする。ピップはボールペンを手に取った。「どんな刑事でも承知しているとおり、殺人者にはかならず動機がある。このなかの誰かが晩年のレジナルド・レミーに対して敵意を抱いていたのはまず間違いない。彼を憎む理由があった者がいるはずだ。さあ、次のページをめくって」

このラウンドでは：

• 今日の夕方に、リジーとレジナルド・レミーのあいだに張りつめた空気が流れた旨を暴露する。リジー、ラルフ、レジナルドといっしょに図書室でお茶を飲んでいたときに、リジーはスコーンにのっていたジャムを自分の手と服にこぼしてしまった。そこでレジナルドはリジーに向かって、“おまえはいつも手をべとつかせている《スティッキー・フィンガー》”と言った。リジーはショックを受けたような表情を浮かべ、手を洗いに図書室を出ていった。

• そのほかにあかされる秘密にしっかり耳を傾ける。

3ページ

Kill Joy Games™

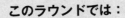

ピップは顔をあげて視線をローレンに向けた。集中しているらしく、唇を嚙んで自分のブックレットを読んでいる。ふいにローレンが目をあげてまっすぐに見つめかえしてきた。とたんに胃がずしりと重くなる。少しのあいだ見交わしたあと、ようやくローレンが鼻先で笑って視線をはずし、口をゆがめて苦虫を嚙みつぶしたような表情を浮かべた。

〝スティッキー・フィンガー〟？　これって、盗み癖《ぐせ》がある人っていう意味だよね？　つまり泥棒。うわっ、たいへん。

ピップはノートを引き寄せ、手が頭に遅れずについていけるよう、すばやくボールペンを走らせた。レジナルドとラルフは昨晩、リジーが支配人をつとめるロンドンのカジノに金を盗んでいる従業員がいるという話をしていた。そして今日、レジナルドはリジーに向けて〝スティッキー・フィンガー〟という辛辣《しんらつ》な言葉を放った。盗みをはたらいているのはリジーだと思っていたにちがいない！　それに、リジーの反応から推測すると、おそらくレジナルドの考えは正しかった。レジナルドに気づかれていることをリジーが知ったら……うんうん、これはレジナルドを殺すに充分な動機になる。手を打たないと、刑務所に入るという選択肢しか残らないのだから。

ザックが咳払《せきばら》いをし、ラルフとして話しはじめたことで思考が中断された。「えーっとですね、警部、家族の者同士で憎む、憎まれるという話になるなら、わたしとしては、兄のボビーと父のあいだにきわめて深刻な悪感情が存在したと言わざるをえません。兄が遺言書から除外されていることからも、それは間違いないでしょう」

アントがザックの目の付近をちょんちょんとつついた。

ザックがびくりとする。「痛いなあ」

「ちょっとした兄弟愛ってやつだよ」とアント。言葉が不明瞭で聞きとりにくい。

「とにかく」ザックがつづける。「ふたりが互いに悪感情を抱きはじめたのは数年前です。そのころボビーは父のカジノで働いていて、ゆくゆくはカジノを相続する予定になっていました。ところが一日じゅうカジノのなかにいて、ボビーは深刻なギャンブル依存症に陥《おちい》ってしまったんです。あちこちから金を借りて、つねに負債をかかえていました。銀行が金を貸してくれなくなると、あまり評判のよろしくないところから借りるようになりました。ギャングの高利貸しから金を借りては、当然、すべてをギャンブルにつぎこんで、すっていました。ギャングに金を返せなくなると、相手から殺すと脅《おど》された。父はボビーを窮地《きゅうち》から救いだし、息子の命を守るために、高利貸しやほかからの借金をすべて清算したんです。しかしその日以来、ボビーが自分のもとで働くことや、ふたたびレミー家のビジネスにかかわることをいっさい禁じました。父はこう通告しました。まともな暮らしを送れるよう、これからも月々の手当ては支払ってやるけれど、この先ボビーがギャンブルにたとえ一度でも手を出したら、そのときは永久に援助を打ち切ると。最後通告でした」

「そうだよ」アントはうなずいた。「ぜんぶほんとうのことだ。よからぬ輩《やから》から金を借りた。知りたいなら教えてやるが、イースト・エンド・ストリーターズと呼ばれるギャングだ。だが、それでどうしておれが父さんに対して憎しみを抱いたとおまえが考えるのかが理解できない。父さんはおれを救ってくれた。おれは金を与えてもらって、ぶらぶら過ごすことができた。文字どおり、おれにとっては願ってもない状況だった。憎しみを抱くはずなんかない」

「ああ」警部役のジェイミーがブックレットを見ながら言った。「イースト・エンド・ストリーターズはたちの悪い一団ですね。スコットランドヤードでもやつらにはずいぶんと手を焼かされています。彼らはコカインのビジネスに手を染めてましてね。ほかにも違法なことをごまんとやっている。今年の初頭、わたしの相棒が彼らのコカイン取引の実態を暴くために潜入捜査をおこなっていたんですが、見破られてしまいました。そして殺された。路上で撃たれて。許されざる行為です。とにかく、無事に縁《えん》を切れてなによりですよ、ボビー」

「ありがとうございます、警部」

〝ありがとうなんて思ってもないくせに〟ピップはノートの次のページにメモをとりなが

ら思った。

「ほかに知っている方はいらっしゃいますか？　ここにいる誰かがレジナルドに対して憎しみを抱いていたことを」とジェイミーが訊いた。

ピップは手をあげた。「もうすでにお聞きおよびでしょうが」ローレンの視線を避けながら言う。「今日の夕方に、リジーとラルフとわたしはレジナルドといっしょに図書室でお茶とスコーンをいただいていました。そのときにリジーがジャムを両手と服にこぼし、あわててしまいました。レジナルドは彼女を見て言いました。おまえはいつも手をべとつ《スティッキ》かせている《ー・フィンガー》と」そこで間《ま》をとる。「場の空気はナイフで切れるくらい張りつめました。リジーはショックを受けたようで、手を洗ってくると言って図書室から出ていきました」

「あらやだ、さぞかし〝手がべとと《スティッキー・フィンガー》〟だったんだろうね、リジー」カーラが眉《まゆ》を上げ下げしながら言った。

「その言いまわしは〝盗み癖のある人〟という意味です」ピップは言った。

カーラはがっかりした顔になった。「なーんだ、ぜんぜんおもしろくない」

ローレンが声を立てて笑い、〝やめてよ〟と言わんばかりに手を振った。「あれはなんでもないの。空気は張りつめてなんかいなかった。あなたがなにをほのめかそうとしているのか、よくわからないんですけど」そう言って睨《にら》みつけてくる。「レジナルドはわたしをからかうのが好きだった。息子の嫁はわたしだけだから。それに、わたし、とっても手先が不器用で、いつも食べ物をこぼしてしまうの。だから〝スティッキー・フィンガー〟になるってだけの話」

「あっ、そう」カーラがふたたび眉を上げ下げする。「ところで、あたしも思いあたることがある」

一同の視線を浴び、カーラは全力で料理人のドーラ・キーになりきっているらしい。目いっぱい背筋をのばし、エプロンをいじっている。

「このお屋敷にいる奉公人はハンフリーとあたしだけだから、晩に仕事が終わるといつもふたりでおしゃべりをする。時間をつぶすためにね。それで、えっと――」カーラがとなりのとなりにすわるコナーを横目で見た――「先週、会話の雲行きがちょっとあやしくなって。すごく不穏だった。今夜起きたことを考えると、それも腑《ふ》に落ちる」

「どういうこと？」ピップは待ちきれずに言った。

「えーと、今週の頭にも、ハンフリーはご主人さまについて不満をもらしてた。だからあたしは言ってやった、〝でもさ、あの方はそれほどひどくないよ〟って。そしたら、ハンフリーはこう言った、〝おれはあの方を憎んでる〟って。ほら、ここで誰かハッと息を呑んで」

ジェイミーとザックが勢いこんでカーラのリクエストに応えた。こっちは書くのに忙しくてそんな暇はない。

「はい、ありがと」カーラはジェイミーとザックに軽く会釈した。「でも、その発言はまだ序の口だった」

「もっとひどいことを言ったのか?」アントがコナーを見て言う。「おまえにとってはあんまりよろしくない状況だな、ハンフリー。犯人はいつだって執事に決まってるもんな」

「もっとずっとひどいことを言った」カーラはそう言って、劇的な効果をねらってか、メンバーの顔をひとつひとつ順番に見ていった。「ほんの二日前、ハンフリーはまたレジナルド・レミーの話をした。で、あたしのほうを向いて、目を憎しみで光らせて言い放った。〝レジナルドなんか死ねばいい〟って」

7

弱音器《ミュート》で音色《ねいろ》に変化をつけたトランペットが響くなか、一同は押し黙り、コナーが椅子のなかで身じろぎした。

「われわれのプ、ラ、イ、ベ、ートな会話を暴露してくれてありがとう、ドーラ」コナーは〝プライベート〟を強調して言った。

「だって、真実を話すべきでしょ、いまは」カーラが大げさに両手をさしのべて言う。

「人がひとり、死んでるんだから」

「そうだが、わたしは関係ない」

「ほんとうなの？」とピップ。「ほんとにそんなことを言ったの？ 〝レジナルドなんか死ねばいい〟って？」

「言いましたよ、でも本気で言ったわけじゃない」コナーはさかんに蝶ネクタイに手をやった。きつく締まりすぎていまにも窒息《ちっそく》するといわんばかりに。「そう言って、憂《う》さを晴らしていただけですよ。ご主人さまについて語るうえでは、執事は言葉を選ぶべきだってことは重々承知しています。それでもね、わたしはご主人さまに腹を立てていたんです。二週間ほどまえに休暇をくださいと頼んだところ、レジナルドさまからあからさまにノーを突きつけられましたから。いまはとても忙しいので、いきなり言われても休みをやるわけにはいかないとおっしゃって。こちらがどんなにお願いしても、だめの一点張りで」

「なぜ休暇をとりたかったの？」ピップはノートのページの上でボールペンを構えながら訊いた。

「娘を訪ねるために。娘とはめったに会いません。ですが……わたしはどうしても娘に会わなきゃならなかった。だからすごく頭にきた、それだけの話です。言っておきますが、休暇をもらえなかったことぐらいでわたしは人を殺したりしません」

「でもおまえ、めちゃくちゃあやしいぞ」とアント。

「あなた、人のことは言えないでしょ、ボビー」とピップ。

「えーっとですね、〝あやしい〟といえば――」コナーがついにネクタイをはずして、カーラを指さす――「ドーラ・キーについてお話ししましょう。こちらの秘密を漏らしたお返しに」

「どうぞ、どうぞ。あたしには秘密なんてありませんから、あるのは料理をうまくする秘訣だけ」カーラがウインクしながら言う。

カーラとコナーのあいだにはさまれているため、ピップはふたりの言い争いを見られるよう、椅子を後ろに引いた。

「へえ、そうかい？」コナーは両手の指をあわせて尖塔の形にしている。「じゃあ、こういう話はどうかな。ドーラ・キーがレジナルドさまに雇われたのは、ほんの半年前だ。わたしは前任の料理人をよく知っていた。かれこれ十五年もいっしょに働いていたからね。なのにとつぜん、ほんとうにいきなり彼女は辞めた。理由はわからない。それまで辞めるなんて一度も言ったことがなかった。彼女は去り際に、本土に向かう船に乗る直前に、ある人物のせいで辞めざるをえないんだと語った。命の危険まで感じたらしいが、その人物が誰かは言えないと。その二日後に、ドーラ・キーがあらわれた。新しい料理人として。でも彼女がつくる料理はまずくて食べられたもんじゃない。で、お尋ねするが、あんたは誰で、ここにいるほんとうの理由はなんなんだ？」

「よくもまあ、そんなことを。あんたにドミノ・ピザをつくってやったじゃない」カーラは笑いをこらえながら言った。「ペパロニ大盛で」

「オーケー、そこまで」ジェイミーが割って入ると、みな口を閉じた。「この部屋にはたくさんの秘密が渦巻《うずま》いているようですね。それらの秘密のなかに、殺人と関係しているものがあるかもしれない。でもいまは、あなた方それぞれが自分のいちばん大きな秘密を知る時間です。さあ、次のページを開いて。誰にも見られないように注意して」

ピップはあわてて椅子をテーブルに寄せ、それと同時に椅子の脚が床板にこすれて甲高《かんだか》い音を立てた。

「ちょっと待った。次に進むまえにトイレに行ってもいいかな?」とアント。「膀胱《ぼうこう》が破裂しそうだ」

ジェイミーがうなずいた。「いいよ、もちろん。待っているあいだ、ほかの人は自分の秘密を読んで」

心臓が喉もとへせりあがり、ピップは急いでブックレットを手に取った。自分のいちばん大きな秘密ってなに? シーリア・ボーンはいったいなにを隠している?

ピップはページをめくった。

あなたの秘密

シーリア・ボーンという人物は、あなたが自己紹介したとおりの人間ではない。これまでずっと嘘をつきとおしている。あなたは住み込みの家庭教師ではない。

じつのところ、あなたは秘密情報部のために**スパイ**として活動している。数週間前に管理官《ハンドラー》が接触してきて、伯父であるレジナルド・レミーの身辺調査を引き受ければ、高額の報酬と、将来的に地位も保証されるとの条件が提示された。政府はレジナルドが共産主義者とつながっていて、煽動的《せんどうてき》な活動にも従事していると疑っている。最近になって、鉱山労働者であり共産主義の煽動者としても知られるハリス・ピックあてにレジナルドから多額の資金が流れたと彼らは考えている。

シーリアの任務は、金が渡されたという証拠をつかむこと。

KILL JOY GAMES™

金庫を破ったのは**あなた**だ。図書室を立ち去ったあと、レジナルドが午後五時十五分ごろに書斎に戻るまえに、それを実行した。

あなたは金庫からレジナルドの小切手帳を盗んだ。金庫のなかにはほかになにもなく、書きかえられた遺書もなかった。電話での会話をラルフに聞かれたのは、ちょうどハンドラーと暗号で会話をしていたときだった。

あなたはこの秘密を守らなければならない。

金庫を破ったのはシーリアだと誰かに見破られたら、理由について嘘をつかなければならない。その理由として、母親の古い写真をレジナルドが金庫に保管していることを知り、それを探していただけだと一同に説明する。あなたが小切手帳を盗んだのは、家族のほかのメンバーにレジナルドが金をいくら渡していたかを知りたかったから。その点に関して、あなたはつねづね苦い思いをしていた。

ピップはブックレットを開いたまま伏せて置き、こっちを見ている誰かに秘密をかかえた表情を読まれないよう、顔をあげずにいた。頭で考えていることが目をとおしてこぼれでている場合にそなえて。なにをばかな、とわれながら思うけれど、顔を伏せたままにする。

スパイ。シーリアの秘密はかなり大きい。だって、政府機関のスパイだよ？　それはすべてを変えてしまう。管理官《ハンドラー》との電話での会話中に、〝終わらせる〟という言葉を口にしたのをラルフに聞かれてしまった。国家への反逆の証拠を見つけたらレジナルド・レミーを殺せ、という指令を受けていたらどうする？　自分は殺人者？　ほんとうに人を殺した？　シーリア・ボーンには人を殺す能力があるわけ？

部屋のなかに意識を戻すと、ほかのメンバーたちはふたたびしゃべりはじめていた。いまなら顔をあげてもだいじょうぶだろう。誰にも見られていないのに、どういうわけか視線を感じ、うなじの毛が逆立つ。

「コナー、二秒だけ、携帯をチェックしてもいい？」ローレンが訊く。「たぶんトムがテキストメッセージを送ってきていて、なんで無視するんだろうって思ってるはず」

「だめ」コナーのかわりにカーラが答える。「ローレンはマーダー・ミステリ・パーティーに参加してるって、トムも知ってるんでしょ。二、三時間ボーイフレンドに連絡しなくったって死にゃあしないよ。だいじょうぶ、生き残れるから。つまり、きみがレジナルド・レミーを殺していなければ、ってことだけど。殺してた場合はおそらく吊るされるから」

「オーケー、みなさん、自分の秘密は読みましたね？」とジェイミー。「おっと、ちょっと待った……アントが戻ってないな」

コナーがふーっと鼻から息を吐きだして、開いたままのドアを見つめた。「席を立ってからけっこうたつな。ぶっ倒れるほど酒を飲んでいないよな？　ちょっと見てくるわ」そう言って、横歩きをして部屋から出ていく。コナーの足音は音楽で聞こえなかった。でも音楽は、風が家に吹きつけ、外の物置をガタガタ鳴らす音をかき消すほど鳴り響いてはいない。

窓のほうを向いたけれど、外はもう完全に暗くなっている。見えるのはガラスに映る自分たちの姿だけ。カーラはこっちの頭の後ろから両手をにょきっと出してウサギの耳をつくっているし、テーブルではキャンドルの灯りが躍《おど》っている。外の闇のなかにとらわれてガラスに映る自分自身の姿を見つめているうちに、戻ってきたコナーが窓に映るのが見えた。

「アントのやつ、どこ行ったんだろ」とコナー。「上と下のトイレを両方見てきた。トイレにはいなかった。どっかに消えた」

「いない？」とピップ。「でも、どこかにいるはずでしょ」

「いないんだよ、それが。家のなかを見てまわってきたけど」

「家のなか、ぜんぶ？」

「まあ、ぜんぶの部屋ってわけじゃないけど」

ジェイミーが立ちあがって弟に呼びかけた。「行くぞ、コナー。もう一度、探しにいこう」

レノルズ兄弟はダイニングルームから出ていき、ジェイミーの声が家全体に響いた。

「アント⁉ どこにいる？ 手を焼かせるなよ」

カーラがこっちを向く。「いったいどうしちゃったの？」ドーラの声音《こわね》をすっかり忘れて訊いてくる。

「わからない」ほんとうなら絶対に言いたくない五文字の言葉。

「どこかへ行っちゃうとか、ありえないだろう」ザックはそう言ったものの、確信はなさそうな口調だ。

「アント⁉」コナーの呼び声はカーペットや壁にあたって尖《とが》った感じは消えているけれど、切迫感は伝わってくる。「アント！ アント！」声がどんどん大きくなると思っていたら、コナーがダイニングルームに戻ってきた。すぐ後ろにジェイミーがつづく。

誰かがしゃべるのを待つぎこちない沈黙が降りる。どういうわけか、音楽の調子さえ変わった気がする。しだいに高くなるトランペットの音色が脅しをかけてくるように聞こえる。

「まいったな、アントはどこにも……この家のなかにはいない」とジェイミー。「ふたりでぜんぶの部屋を見てまわった」

「アントが消えた?」ローレンがビーズのネックレスにせわしなく手をやりながら言う。

「どうやって消えたの?」

ピップは立ちあがった。どこへ行くあてもないけれど、もうすわってはいられない。ガラスに映った自分も立ちあがり、横目でこっちを見ているのが視界の端に入る。どうりで見られているような気がするわけだ。

「アントはどこから出ていったんだろう。玄関ドアがあく音を聞いた人、いる?」カーラがジェイミーのほうを向いて言った。訊かれたジェイミーは肩をすくめた。

「コナー、わたしたちの携帯を返して」とローレン。「返してもらえればアントに電話をかけられる」

「アントの携帯電話だってここにあるのに、どうやって携帯で連絡をとるんだよ」ちょっとだけきつい調子でコナーが答える。

ガラス窓に映る自分たちの姿を見ているうちに、ピップの頭にひとつの考えがひらめいた。これって……芝居の一部かも。ゲームの。現実じゃないのかも。一九二〇年代の恰好をまねている自分たちと同様に。

「ジェイミー」とピップ。「これってゲームの一部なの？　アントがいなくなったのも」

「いや、ちがう」ジェイミーが無表情で答える。

「ボビーのブックレットに書かれているの？」ピップは言い、視線をアントの皿に放られたブックレットに向けた。「それに隠れろって書いてあるとか？　彼が次に殺される人間？」

「ちがうよ」ジェイミーがまいったといわんばかりに両手をあげて言った。目におもしろがっているようすはうかがえない。「誓って言うけど、これはゲームの一部じゃない。こんなのは予定にない。ほんとうだよ」

ジェイミーのしかめた顔に不安の色が濃くなっていくのを見てとり、ピップは彼の言い分を信じた。

「アントったら、いったいどこへ行ったんだろう。外はもう暗いのに」ピップは窓を手振りで示した。「それに携帯を持っていない。なにか厄介なことが起きたんじゃなきゃいいけど」

「どうしたらいいかな」ジェイミーが一同に訊く。いきなり身体が縮み、六歳若がえってほかの者たちと同じ年になったように見える。「どうしたら――」

しかしピップはジェイミーの次の言葉を聞いていなかった。

窓を叩く鋭い音が聞こえてきて、部屋のなかが騒然となった。

誰かが外にいる。目に目えない何者かが。窓がノックされる。コンコン、コンコンと。ノックがどんどん速くなっていく。強く叩かれて、窓ガラスが窓枠のなかで震えているように見える。

「やだっ、怖い」悲鳴をあげたローレンが窓とは反対側の壁際へ急ぎ、身体にぶつかった椅子が床をこすった。

ピップにはなにも見えなかった。外は暗すぎて、なかは明るすぎる。見えるのはガラスに映る自分たちの姿と、恐ろしさのあまり見開かれたそれぞれの目だけ。けれども目は闇を見とおせない。立ちすくむしかない。外に誰かがいて、その人物にはすべてが見えている。

ガラスに映ったカーラの手に、さわられたと感じる間もなく、手をつかまれたのが見えた。

ノックはやまず、音はより大きくなって速度も増し、それにあわせるようにこっちの鼓動は激しくなるばかりで、いまにも心臓が胸から飛びだしそうだ。窓を叩く速度がどんどん増していく。もしかしたら、外にいるのはひとりではなく複数？

ふいにノックがやんだ。窓ガラスの震えはとまった。しかしまだノックがつづいているような気がしてならない。見えない手が喉の奥に隠れていて、身体のなかでノックしている錯覚《さっかく》に陥る。

「いったい――」コナーが言いかける。声の端々が震えている。

そのとき外がいきなりまばゆいほどに明るくなり、光が窓ごしにさしこんできて、ピップはあまりのまぶしさに目を覆った。

8

「なんなの――」

瞬《まばた》きを繰りかえしたあと、庭から流れこんでくる光と、光を受けて浮かびあがる輪郭に焦点をあわせられるようになった。

ふたたび瞬きをすると、輪郭に両腕と両脚が生えた。窓のすぐ外に人が立っている。アントだった。

あちこちに顔を向けている。うっかり反応させてしまったセンサーライトを探しているらしい。いまにも落ちそうな口ひげをくっつけた顔は、いかにもバツが悪そう。

「いい加減にしてくれ」ジェイミーが怒りのにじむ声で言い、テーブルにブックレットを打ちつけて、さっと弟のほうを向いた。

コナーは息を吐きだした。「ごめん。あいつはいつもこんなふうにいたずらばっかりするんだ」

「いたずらをするならべつのときにしてくれないかな」とジェイミー。「迎えの車が来てみんなが帰るまえにゲームを終わらせたいのに、もう時間がないかもしれない」

「ほんとだね、ごめん、ジェイミー。マジでごめん。今夜のために寝る間も惜しんで準備してくれたのに」コナーは窓に向けてどなった。「アント、なかに戻れ！　このお調子者が」小声でひと言付け加える。アントは窓から離れてキッチンのドアのほうへ向かった。おそらくそこからこっそり外に出たのだろう。

「ぜーんぜん、おもしろくないんですけどっ」ローレンがそう言って、椅子をまっすぐにして腰かけた。

「ヘイ、みんな」アントがダイニングルームに戻ってきて、息を切らしながら言った。「ほーんと、すげえおもしろかったよ。みんなの顔、見ものだったぞ。ローレン、きみはおしっこをちびっちゃいそうに見えた」

「ったく、もう」ローレンはそう言いながらも、顔はすでにほころんでいた。手までさしだしそう。

「それと、ピップ――」アントが顔を向けてくる――「きみはずっとおれのほうを見てた。こっちが見えるのかと思ったよ」

「まあね」そう答えるのがやっとで、通常運転に戻れとみずからの心臓に言い聞かせた。

「でもさ」とザック。「結局のところたんなるいたずらで、アントが侵入者にむごたらしく殺されることもなくてよかったよ」

平和主義者のザックが言いそうなことだ。自分がザックの言い分に同意するかどうかはあやしいけれど。

「とにかく」とジェイミーが声を張りあげて言った。「先へ進まないと、殺人者に正義の鉄槌《てっつい》を下せなくなる。ボビー・レミーくん、時間の無駄遣いはもうなしだよ。さあ、ゲームを再開しよう」そこでマスター・ブックレットを開き、ページに目を走らせる。「ここだ、オーケー。さて、あなた方はみずからのいちばん隠したい秘密、いかなる代償を払っても守りたい秘密をそれぞれ確認した。今度はあなたが疑わしいと思う人物に関して、思いつくかぎりの秘密を暴露してみてください。さあ、みなさん、すわって、ブックレットの次のページをめくって」

このラウンドでは：

・これからの会話で“スパイ”とか“スパイする”とかの単語を誰かが口にしたら、そのたびごとに傍目《はため》にもわかるようにびくっとすること。

・これからの会話で、少なくとも一度は誰かのことを“共産主義者”と呼ぶこと。

・ああ、まずい！　レジナルドの金庫を破ったのが自分であることを示す証拠を置き忘れてきてしまったようだ。具体的には、レジナルドの小切手帳を、ディナーのまえにビリヤード室に置いてきてしまった。このラウンドのどこかの時点で、誰かがその証拠を見つけるまえに、あなたはダイニングルームを抜けでて、それを回収しなくてはならない。自分が訓練を受けた秘密諜報員ボーンだということを忘れないように。

KILL JOY GAMES™

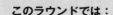

えっ？　ピップは最後の指令をもう一度読んだ。どうして証拠となるものをどっかに置き忘れるわけ？　シーリア・ボーンはいったいどんなまぬけなスパイ？　自分ならけっしてそんな愚《おろ》かなミスは犯さない。なのに誰かに見つかるまえに抜けだして回収せねばならないとは。

たしか廊下にある戸棚がビリヤード室だったはず。でも、どうやったら誰にもあやしまれずにダイニングルームから出られるだろう。とくに、アントがばかなまねをしでかした直後に。

「えーとですね——」コナーが執事のハンフリーとして話しはじめる——「秘密について話すというなら、わたしもひとつ、秘密らしきものを知っています。みなさんが興味を示しそうな秘密を」

「言ってみなよ、ハンフリーじいさん」とカーラ。

「わたしはけっして無作法者ではないと申しあげておきます——」コナーがお辞儀をする——「つまり、スパイみたいに嗅ぎまわっていたわけではありません」

ピップはびくっとした。やろうと思ってしたわけではなく、その言葉がいきなり出てきたので驚いたのだ。手首がグラスにあたったけれど、倒れるまえにつかむ。コナーの視線が向けられる。「失礼」ささやき声で言う。

「昨日の午後遅くのことでした。わたしはお屋敷じゅうを歩き、執事としての仕事をこなしておりました。そのとき、聞こえたのです……上階のベッドルームの一室から、男性と女性が……〝性的行為〟をおこなっている声だったと思います」

アントが鼻で笑った。

「この屋敷には結婚している夫婦がひと組、滞在しています。ラルフとリジー」ピップはテーブルの向こう側にすわるザックとローレンを手振りで示した。

「そうです、そのとおりです」コナーはもう一度お辞儀をした。「ですが、わたしがその……〝性的行為〟……の声を聞いたのはリビングルームに向かう途中でして、そのときラルフさまはリビングルームでレジナルドさまとチェスをしていらっしゃいました」

カーラが息を呑み、ローレンを指さした。

「なんでわたしを指さすわけ?」ローレンがびっくり顔で言う。「問題の女性はこのなかの誰であってもおかしくないでしょ」

「あたしは卑《いや》しい料理人だし、年は百歳だから、間違ってもあたしじゃないね」カーラが答える。

「じゃあ、ピップ――シーリアなんでしょ、きっと」

「やめてよ、そんなわけないでしょ」ピップは独り言のように言った。「執事のハンフリーとラルフ・レミー、それとレジナルド・レミーがそのとき階下にいたのなら、男のほうで考えられる人物はひとりしかいない。ボビーよ」

全員がアントのほうを向く。当人は澄ました顔で、なにかを考えているのか、しきりに口ひげをなでている。

「じゃあ、ピップとアントだったんだ！」とローレン。必要以上に大きな声を張りあげている。

「ボビー・レミーはわたしのいとこよ」ピップは思いださせるように言った。

「そ、そうだけど」ローレンは言葉に詰まった。「〝近親相姦《そうかん》〟ってことでしょ」

「やけにきっぱり言うわね、リジー」ピップは言い、相手をイライラさせようとしてボールペンをカチカチ鳴らした。「〝性的行為〟が誰と誰のあいだでおこなわれていたかはあきらかでしょ。あなたは義理のお兄さんとやけに親しいようじゃない。あら――」ザックのほうを向く――「ごめんなさい、ラルフ。こんな話、聞くのはつらいでしょうね」

ザックはにこりとした。「大打撃だよ」

「わたしはきっぱりと否定します」ローレンが困惑顔で言い、椅子ごと引きずってアントから離れた。芸術は人生を模倣する（〝芸術が人生を模倣する以上に、人生は芸術を模倣する〟というオスカー・ワイルドの言葉のもじり）とピップは思った。「執事が間違っているにきまっている。彼は年寄りだもの。彼の聴覚なんかあてにならない。あなたたち、どうして互いに顔を見あわせているの？　ばかみたい」

「わかったわよ、〝共産主義者〟さん」ピップは言った。

誰も反応しなかったけれど、ここ以外に、ほかにどこで言えばいいんだろう。

「ちょっと、なんなのよ、いったい」ローレンは吐き捨てるように言い、腕を組んだ。

「まったく、ちょっとそこの執事――」

コナーが口をはさんだ。「わたしの名前はハンフリーです」名札をつついて言う。

「名前なんかどうでもいい」とローレン。「わたしはあなたが隠しごとをしているのを知っているんだから。あなたが紙きれをポケットから取りだしてじっと見つめているのを、この週末に二度、見た。一度は泣いているところも目撃した。あれはなに？　あなたが持ち歩いているその秘密のメモはいったいなんなの？」

「あなたがなんのメモの話をしているのか、わたしにはさっぱりわかりません」とコナー。

ジェイミーが立ちあがり、コナーの椅子の後ろに立った。「ああ、このメモのことですか？」弟のほうへ身を乗りだし、コナーのディナージャケットの前側に手をのばして、ポケットのなかから折りたたんだ紙を引っぱりだす。

「ジェイミー、なんだよ、それは!?」コナーが信じられないという面持ちで兄を見あげた。

「いったいいつ、それをポケットに入れたんだ？」

「わたしなりのやり方で」ジェイミーはにっこり笑って、折りたたまれた紙きれを掲げた。〝手がかり#3〟と印刷された文字がピップには見えた。「さて、さて、さて」ジェイミーが紙きれを開く。「リジー、あなたはみごとなほど鋭い目をお持ちですね」そう言ってメモを読むふりをする。「これは興味深い。みなさんもご覧ください」ピップは最初にメモを手渡され、となりにすわるコナーがそれを読もうとのぞきこんできた。

天然痘《てんねんとう》（天然痘ウイルス）

天然痘は強い感染力を持ち、しばしば致命的疾患となる。症状としては、高熱が出て独特な発疹があらわれ、全身に膿疱《のうほう》ができる。おもに吸いこんだ飛沫《ひまつ》が気道を通ることによって感染する。

　致死例に照らすと、最初に症状が発現したのち、十日から十六日のあいだに死亡する。

KILL JOY GAMES™

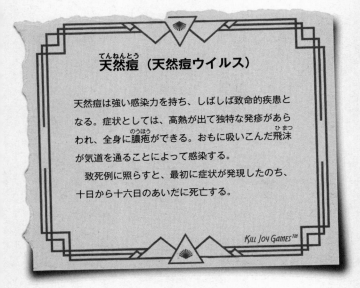

カーラにメモをまわしていると、ジェイミーが「妙だな」と言った。「レジナルドの図書室にある医学書から破りとられたページのように見えますね」

「〝天然痘〟」メモが手渡されると同時にザックが声に出して読んだ。

「天然痘は一九八〇年に根絶宣言が出された」ピップは言った。

「こらこら、タイムトラベルはなしだよ」ジェイミーがマスター・ブックレットで頭を軽く叩いてくる。

「どうしてポケットにこんなものを持ってるの?」メモがまわってきたところでローレンがコナーに訊いた。「それと、なんで頻繁《ひんぱん》にメモを見るの?」

「理由はありません」とコナー。すでにピンクに染まっている頰が赤みを増していく。

「その病気に興味があるというだけです。時間をやりすごすためになにかを読みたくなることがあるんですが、ご主人さまはそういうのを〝サボっている〟とおっしゃって、けっして認めてくださいませんでした。だから隠しているんです」

「ぜんぜん理由になってないんですけど」とカーラ。

コナーはなにかを言い足そうとしたが、ふいに口を閉じ、肩をすくめた。この件に関してほかに言うべきことはないようだった。いまこそビリヤード室へと抜けだし、金庫破りの証拠となるものを見つけて隠す絶好のチャンスかもしれない。ボールペンを置き、口を開きかけたちょうどそのとき、アントに出鼻をくじかれた。くっそー、せっかくのチャンスだったのに。

「ちょっといいかな」アントはボビーとして一本、指を立てて振りながら言った。「この週末、ずっと考えているんだが、いまきみの前にすわっていてわかったような気がする」カーラに視線を据える。「ドーラ・キー、おれはきみをどこかで見た覚えがある。顔をあわせるのは今回がはじめてじゃないよな」

「まあ、あたしともセックスしたとか言わないでよ」カーラはあてこすりっぽく答えた。もしかしたらブックレットに〝相手をいらつかせるように〟と書かれているのかもしれない。

「それはないけど、たしかにあんたをどこかで見た覚えがある……どこかで」アントはいかにも記憶をたどっているというふりをし、風刺画にあるみたいに口ひげの両側を指で押さえている。ふいになにかがひらめいたときのように、顔つきが変わる。

「思いだしたの？」とカーラ。「あたしもあんたの顔をどこかで見た覚えがある。そもそも〝見たことがある〟と言いだすなんて、あんたもずいぶんばかだよね、ボビー。どっちのためにもならないのに」

「わかってる」とアント。「でもそう言えとブックレットに書いてある」

「まあ、そうだろうけど。でもね、お互いにとってかんばしくないこの秘密は、自分たちの胸のなかにおさめといたほうがいいかもよ」

「だめだめ、それはだめだよ」笑みを見せながらジェイミーが割りこむ。「さあ、言って」

「わかったよ」アントが両手を掲げる。「ロンドンのガーザ・カジノであんたを見た覚えがある。あそこでガーザ家のやつらとうろついているのを何度か見た。間違いなくあんただった。えーっと、そのときもフェイスペイントで顔に皺《しわ》を描いていた」

「ありがと。それがあたしのいちばんの特徴」とカーラが答える。

「ちょっと待って」とローレン。「卑しい身分の料理人がどうして高級カジノをうろついていたわけ？」

今回にかぎり、いい質問だ。ピップはボールペンを構えて待った。

「一方的に決めつけないで」とカーラ。「貧しい人間だってギャンブルは好きなんだよ。あと、それはレジナルド・レミーに雇われてここへ移ってくるまえの話なんだから、あんたにとやかく言われる筋合いはない。とにかく、あたしの話はもういい。そこにはボビーもいた。付け加えとくと――」カーラが身を乗りだす――「名の知れたギャングといっしょにうろついているのを何度も見た。一度なんかは、カジノの客に白い粉が入った小袋を売っているところを見た」

「コカインっぽいな」ジェイミーが警察官のヘルメットを叩きながら言った。

「待ってくれ」ザックも話に加わり、アントのほうを向いてしゃべる。「兄さんはわれわれのライバルであるガーザ・カジノに行っていたのかい？　われわれの商売敵《がたき》の」

「この国にあるレミー・カジノには、どこにも入店できないだろ？　おれは永久に立ち入りが禁じられているんだから」

「つまり、兄さんはまたギャンブルをやってるってこと？」ザックはほんとうに裏切られたという顔を見せた。「やめていなかったんだね。何年もまえに父さんや家族の者にもう二度とギャンブルはやらないと約束したのに」

「ああ、悪かった」アントは言い、ピンストライプの胸に片手を押しあてた。

「兄さんがまたギャンブルに手を出したら父さんは勘当すると言っていた。父さんに見つかったのか？」

「いいや」

「母さんには？　母さんは生前、ガーザの奥方と仲がよかった。ミセス・ガーザが母さんに知らせたとしてもおかしくない」

「いいや」アントがふたたび言った。

ザックは眉根を寄せ、目つきが厳しくなった。ラルフは兄を信じていないのがピップにはわかった。

「そのうえコカインを売っていた？」ピップはアントに向けて言った。

「なんだよ、きみは料理人の言葉を信じるのか？　勘弁してくれよ、いとこ殿。そりゃあ、みんながみんな、ボビーを嫌ってるのはわかっているけど、ドーラは自分があそこにいた事実から全員の目をそらそうとしているんだぜ。それ自体がめちゃくちゃあやしいだろ」

その点についてはアントの言い分ももっともだ。なぜドーラ・キーは高級カジノにたびたび出入りし、レミー家最大の商売敵といっしょにいたのだろう。

口論が袋小路に入りこみ、一時的な休止状態になった。いま行かなければ、もうチャンスはないかもしれない。

「ヘイ、ちょっと休憩しない？」ピップは言い、増えていく仮説をほかのメンバーにのぞかれないようノートを閉じた。「トイレに行きたい」

ジェイミーがうなずいた。「うん、そうしよう」

「どこへ行くの？」カーラが訊いてきて、こっちが立つと同時に立ちあがる。

「いま言ったでしょ」ピップはドアのほうを向いた。「トイレ。アントみたいに消えたりしないから、ご心配なく」

「いっしょに行ってもいい？」カーラが一歩踏みだす。

「だめ」心臓が肋骨《ろっこつ》を打ちはじめる。このままだとカーラのせいで計画どおりにいかなくなってしまう。いまこそ、あの証拠を手にしなければならないのに。「わたし、トイレに行くんだよ。へんなこと言わないで」てのひらが汗をかきはじめた。これでカーラが引きさがってくれますように。カーラに嘘をつくのはつらい。友だちというよりも姉妹に近いのだから。

さいわい、聞き入れてくれたらしい。カーラは引きさがり、ピップはひとりでダイニングルームから廊下に出た。一階のトイレのドアをあけて、音を立てて閉める。こうすれば音楽がかかっていてもほかのみんなに聞こえるだろう。でも、なかには入らない。できるだけ音を立てないようにカーペットを踏みしめ、そのまま廊下を進んでいく。

戸棚の前で足をとめる。〝ビリヤード室〟と書かれた貼り紙がかすかに揺れている。取っ手をつかんだとき、指が震えているのに気づいた。どうして緊張している? これはゲームで、どれひとつとっても現実じゃない。でもそんなふうには感じられず、とてもゲームとは思えなかった。実際に殺人事件が起きたみたいに感じられ、肌が電気を帯びたようにピリピリしている。戸棚の扉をあけると、ちょうど靴用のラックの前になにかがあった。少しまえにはなかったものが。それは折りたたまれた紙で、〝手がかり#4〟と書かれているのがちらりと見えた。

ピップは腰をかがめ、紙を取ろうとして手をのばした。
しかし取れなかった。
指が紙に触れたと思った瞬間に、背後から誰かにつかみかかられた。

9

見えない両手が肩にかかる。指が食いこんできて、戸棚から引き離される。

ピップはバランスを失ってひっくり返り、仰向けに倒れた。そのときようやく、肩をつかんできたのが誰かわかった。

「カーラ、いったいなにしてんの」急いで身体を起こして言う。

しかし遅きに失した。

カーラは身をかがめて戸棚のなかに頭を突っこみ、紙をさっとつかんだ。こっちに顔を向け、にやりと笑いながら手がかりを掲げる。

「ピップがこっそり抜けだして、なにかよからぬことをするのはわかってた」カーラが空いたほうの手であばらをつついてくる。

「どうしてわかったの？」

「それはね、ピップがそうするってわたしのブックレットに書いてあったから」とカーラ。

「ピップがこっそり抜けだすから、ピップをつかまえて証拠を見つけろって。きみがそれを隠すまえに」

「マジか」ピップは立ちあがり、腕に巻きついたフェザーボアをまっすぐに直した。失敗するよう仕向けられていたとは、なんという忌々《いまいま》しいゲーム。「少なくとも、わたしの排《はい》泄《せつ》行為をカーラが見たがってるんじゃないってことは、お互いに了解済みだね」

「悪いけど、わたしにそういう趣味はないし。はい、どうぞ」カーラが手を突きだして、手がかりをさしだしてきた。

ピップは手をのばした。もう少しで紙に触れるところで、ふいにカーラが紙を握った手を引っこめて背中にまわした。

「あははは〜、渡すわけないじゃーん」クスクス笑いながら、ダイニングルームのほうへ後ずさる。

ピップはさきほどのお返しとばかりに、カーラの腋《わき》の下をつついた。

「ちょっと、よくもわたしの胸にさわったわね！」カーラがお尻を突きだしてぐいぐい押してきて、ピップは壁際に追いつめられた。

「なにやってんだ？」アントが声をかけてきた。「女子同士の喧嘩か？」

カーラがお尻を引っこめ、手がかりを宙に掲げながら、ダイニングルームへ小走りで戻っていく。「ピッ——じゃなくて、シーリアがこれを隠そうとしてた！」メンバーにそう告げるカーラのあとを、ピップはしかたなくついていった。

「だって、ブックレットにそうやれって書いてあったんだもん」言い訳がましくピップは言い、ふたたび自分の席について腕を組んだ。

「よい子《グッドガール》のやることじゃないよな」アントがからかってくる。

「それはなんだい、ドーラ」とジェイミー。「開いて、テーブルについてるみんなにまわしてくれ」

日付：1924年7月22日
受取人：ハリス・ピック
長らく滞納していた
借金を清算するため
150,000ポンド
CHEQUE
YOUR NAME
£
PAY TO THE ORDER OF
POUNDS
DATE
AUTHORIZED SIGNATURE
KILL JOY GAMES™
324297797423 436346

「なんだい、これは」ザックが訊く。

「小切手帳だね。レジナルド・レミーの」カーラが答える。「直近の控えによると、ハリス・ピックという人にお金が振りだされてる。レジーじいさんは七月の下旬に彼に十五万ポンドを支払っている」

　金額に驚いたのか、アントが口笛を鳴らした。

「ちょっと待ってくれ」ザックがブックレットに目をやりながら、不自然なほど平静な声で言った。「その名前を知っている。彼と父さんは、第一次ボーア戦争（一八八〇年から八一年にかけてイギリス人が南アフリカのトランスベール共和国支配のために起こした戦争）のときにともに従軍した。父さんはいつも言ってたよ、ハリスに命を救ってもらったって」

　それは共産主義の煽動者の名前でもあり、政府は資金提供者としてレジナルド・レミーに疑惑の目を向けている。そしてここにシーリアが求める証拠がある。十五万ポンド。かなりの大金だ。いまの金額に換算すると何百万ポンドにもなるはず。

「それで、あたしは――」そう言いながらカーラが睨みつけてくるけれど、同時にもうちょっとで笑いそうになっている――「今日の夕方の五時ごろに、シーリアがレジナルドの書斎から手に小切手帳を持って出てくるのを見た。この人は金庫を破って小切手帳を盗んだ、きっとそうにちがいない！」

「シーリア？」ザックの目にとまどいの色が浮かんでいる。

「オーケー」ピップはため息をついた。「たしかにわたしは金庫を破った。でも実情はあなたたちが考えているのとはぜんぜんちがう。わたしはレジナルドが持っているはずの母の写真を探していた。家のどこを探してもなかったから、金庫に保管されているにちがいないと考えた。いまの自分が母に似ているかどうか見てみたかっただけなの」

「やれやれ、お涙頂戴の話は勘弁してくれないかな」とアント。「もしそうだとして、なんできみは小切手帳を盗んだんだ？」

「えっと、金庫を開いたとき、それ以外にはなにもなかった」ピップはカーラが持っている紙を指さした。「それで、知りたくなったのだと思う。伯父さまが息子たちにいくらくらい与えているのか。それと嫁に」そこでローレンをちらりと見る。「わたしはいつも苦い思いをしてきた。ほかに身寄りのないわたしを伯父さまが援助してくれてもよさそうなのに、あの人は無視を決めこんでいた」

「興味深い話ですね」警部になりきっているジェイミーが話に割りこむ。「そうするとだね、シーリア、あなたは殺人の犯行現場にいたことになる。事件が起きたと考えられるほんの十五分前に」

状況はシーリアにとってあまりよろしくない。

「そうなりますけれど」ピップは反論する。「ドーラによると、わたしが書斎から出てくるのを彼女が見たのは五時です。それってつまり、わたしは殺人が起きた時刻よりまえに犯行現場を離れたことになります。ドーラ、逆にお訊きするけれど、なぜあなたはあの場にいたのかしら。たしか、その時刻には野菜畑にいたとかなんとか言ってたわよね。つまり、あなたも嘘をついている」

「そうだよ、そのとおりだ」ザックが興奮もあらわにテーブルをぴしゃりと叩いた。「ドーラ、きみは野菜畑にいなかったし、こっちが散歩しているところを見てもいないのに、わたしのアリバイに疑問を投げかけた」

「それで、あなたはどうしてレジナルドの書斎へ向かっていたの?」ピップはドーラ、つまりカーラのほうを向いた。

そこでローレンが口をはさんだ。「ちょっといいかしら、以前ラルフに言ったことをここでもう一度言うわね。わたしはこの料理人が気に入らない。いつでもいちゃいけない場所にいるんだもの。わたしたちをスパイしているみたいに」

最初は気づかなかったものの、〇・五秒遅れでピップは〝スパイしている〟にびくっと反応した。目をあげてコナーの視線をとらえる。ずっと見られていたらしい。

「少しばかりそわそわしているようだけど、シーリア」とコナー。

「よし」ジェイミーが両手を打ちあわせた。「われわれは真相に近づいています。このへんであなた方の誰が殺人者であるかをあきらかにしようと思います。しかしまず、殺人者はみずから犯行を認めなければなりません。そこで、各自、自分の皿の下を――待て、コナー、先にこっちの説明を聞け――見てみてください。名前が書かれた封筒が見つかるはずです。なかに紙が入っていて、あなたが殺人者であるか否かが書かれています。しかし――」〝ここが重要〟と強調するように指を一本、掲げる――「かならずポーカーフェイスを保ってください。自分が殺人者か否かを示すような表情やしぐさを表に出さないこと」メンバー全員が理解したかどうかをたしかめるように、ジェイミーが一同をじっと見つめた。とくにいちばん時間をかけてアントを凝視《ぎょうし》する。「オーケー、見て」

さっきからコナーの視線を釘《くぎ》づけにしている手つかずのピザがのった皿を、ピップは前にずらした。いままでずっと皿の下に隠されていたものがあらわになった。〝シーリア・ボーン〟と表に書かれた小さな封筒が。

まわりを見るとみんなそれぞれの封筒を破りはじめていて、ピップも自分の封筒に手をのばした。

そこでためらう。指を丸めて拳を握る。

シーリアが殺人者だったらどうする？　腹のなかが冷たくなって、胃が沈みこむような感覚に襲われる。死亡推定時刻は五時十五分から六時半のあいだ。シーリアは直前の五時に犯行現場にいた。ハリス・ピックに振りだされた小切手の控え——レジナルド・レミーの反逆行為の証拠——を目にしたあと、管理官《ハンドラー》からの指令に従って伯父の裏切りを終わらせるために書斎へ戻ったとしたら？　心臓に突き刺さったナイフ。彼女はレミー家の者たちから歓迎されていると感じたことは一度もなかった。だから憤怒《ふんぬ》に駆られたのかもしれないし、訓練どおりのひと突きだったのかもしれない。どちらにしろ、ひとりの男が死に、殺したのは自分かもしれない。答えはこのなかにある。

ピップは封筒を手に取って頭《フラップ》をあけ、折りたたまれた紙を引きだした。胸のすぐ前で紙を開き、心臓が喉もとにせりあがってくるなか、そこに印刷されている文字を読む。

シーリア・ボーン、あなたは殺人者**ではない**。

Kill Joy Games™

確認のためにもう一度読む。頭のなかの声がひと文字、ひと文字、はっきりと発音する。シーリアは殺人者じゃない。ああ、よかった。シーリアは人を殺したりしていない。自分は潔白だ。

ほかのメンバーが秘密を隠すために表情を取り繕《つくろ》うのを眺める。コナーは眉毛を上下させているが、どう見ても不自然な動きで、あげて、あげて、さげる、さげる、を繰りかえしている。ローレンはクスクス笑いながら、両どなりをちらちらと見ている。アントは天井をじっと見つめている。カーラは笑っちゃうほど目を大きく見開き――目のまわりにはあいかわらずフェイスペイントの皺――ひとりひとりを睨みつけている。それこそ、目玉をひんむいて。ザックは黙りこくり、無理やり無表情を保っているように見える。

シーリアが犯人でないなら、このテーブルを囲んでいる誰かが殺人者となる。五人の友人のなかのひとり。いったい誰が？　みなそれぞれ機会も手段もある。いまやノートには七ページにわたって彼らに関するあれこれや、なぜレジナルド・レミーを殺したか、考えうるかぎりのそれぞれの動機が書き連ねられている。全員が犯人のように思えるけれど、殺人者はひとりしかいない。

「すばらしい演技だ」ジェイミーが一同の顔を眺めながら言う。「オーケー、いまや犯人は自分が殺人者だと知っている。いよいよ〝最後の手がかり《ザ・ファイナル・クルーーー》〟の時間だ」〈ザ・ファイナル・カウントダウン〉（スウェーデン出身のバンド、ヨーロッパの曲）のメロディーに乗せて宣言する。コナーがかすれ気味の声で〝ルルルッル、ルールルルル〟とキーボードの部分を口ずさむ。

「事件が発生して以来、あなた方のひとりがハワード・ウェイ警部をどうにかして出し抜こうとしているようですね」ジェイミーが自分の胸を親指で突きながら言った。「どなたかが、有罪を示す証拠を、誰ひとり目を向けようともしない場所へ運び、処分しようとしています。ディナーの残りのなかにまぎれこませるようにして」

「はあ？」コナーが片方の眉をくいっとあげて、困惑の表情で兄を見つめた。

ピップはテーブルのまんなかに向けられたジェイミーの視線を追った。三本の赤いキャンドルの炎が揺らめき、手がかりの紙が何枚か重ねられていて、あとは赤ワインの空き瓶が数本とコナーが飲んでいるビールが置かれている。皿は自分のを除きぜんぶが空。考えることが多すぎて、とてもじゃないが食事に集中できなかった。ジェイミーはなにをほのめかしているんだろう。テーブル上でなにが変わった？

そこでふと気づいた。さっきまでテーブルの上にあって、いまはなくなっているものに。

「ピザの箱！」ピップは立ちあがった。

ジェイミーは肩をすくめたけれど、口の両端におもしろがっているような笑みが浮かんでいる。

「箱はどこだ？　ゴミ箱の脇？」コナーが訊いても、ジェイミーはヒントを与えるつもりはないらしい。

「あっちだ」コナーがほかのメンバーに言い、勢いよくダイニングルームを出てキッチンへ向かった。ピップはノートを手に、コナーのすぐあとを追った。

ドミノ・ピザの箱が、キッチンの隅っこに置かれたゴミ箱のすぐ脇に積まれていた。コナーは両膝《りょうひざ》をつき――ハンフリー・トッドは年寄りなので〝よっこいしょ〟という具合に――箱を引っぱりだしては蓋《ふた》をあけていき、ほかのメンバーはコナーの後ろでそのようすを眺めた。

「あった」コナーが紙きれを掲げた。ガーリックソースやピザの脂《あぶら》のしみが何カ所かついている。裏側に〝最後の手がかり〟という文字が見える。

「ハワード・ウェイ警部の目はなにも見逃しません」ジェイミーが勝ち誇ったように言う。

「ハンフリー、みなさんにそのメモをまわしてください」

今夜。ディナーのまえ。きみはわたしに約束した。われわれはともにこれを望んでいて、すでにやってしまったあとではもう手遅れで後戻りはできない。すべてうまくいく。覚えておいてほしい。彼はわれわれが同情すべき人物ではない。

　またのちほど。

——ＲＲ

Kill Joy Games™

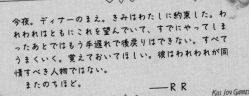

「なんともそそられる《ジューシー》なあ」とコナー。「文字どおり」そう言って指でピザの脂《ジュース》をこすりとる。

「RR」とローレンが言って、レミー兄弟のほうを向く。「きみたちふたりのうちのどちらかでしょ」

「ボビーはロバート・〝ボビー〟・レミーをあらわすRRと署名したメモを、今日すでに残している」ピップはそう言ったものの、頭の片隅になにかが引っかかっていた。まだ形になっておらず、つかみきれていない考えが。いったいなんだろう。このメモのなにが頭を悩ませているのか。

「この手のメモ、弟の妻とこっそりセックスしている人物なら送りそうだね」とカーラ。

「あんたたち、今夜さらなる〝性的行為〟におよぶつもりでいたの？」とローレンとアントに訊く。

　少しのあいだピップは考えた。それでこのメモの説明はつく。でもなにかがしっくりこない。

「それか、ふたりの人物が殺人の計画を立てているように読めないか？　ふたりの殺人者が！」興奮気味にコナーが言う。

　その仮説についても考える。メモの内容からすると、それが正解な気がしなくもない。

頭のなかがブンブンとうなりはじめる。

「天才的な能力を誇る警部として」とジェイミー。「あなたたち六名のうちのひとりだけが殺人者だと断言しておきます。さていよいよ――」そこで両手を打ち鳴らす――「殺人者の仮面をはがすときが来ました。まったき真実、まぎれもない真実をあかすときが。よろしければみなさん、ふたたびダイニングルームのテーブルについてください」そう言って、廊下の向こう側へ戻るよう、うながす。

一同、キッチンを出る。みな足早に歩きながら殺人事件の話をし、興奮気味にああでもない、こうでもないと互いの仮説を交換しあっている。しかしピップは押し黙り、みずからの思考に没頭していた。最初から結末に向けて事件をおさらいする。おそらくシーリア・ボーンも同じことをしただろう。すべての手がかりを分析し、べつの角度から見てみる。

六人全員が再度、席につき、テーブルを囲んだ。ピップはすぐにノートを開き、夢中になってページをめくっていった。手書きの文字が時間を追うごとに乱れていっている。多くの容疑者がいて、レジナルド・レミーに死んでほしいと願う多くの理由がある。でもやったのは誰？　このなかに殺人者がいる？　すべての証拠がひとりを指している気がする。ロバート・〝ボビー〟・レミーを。最初から手がかりの多くが彼に暗い影を投げかけていた。

あまりにも多くの手がかりが。でもそのこと自体がなんだか引っかかる。なにかを見落としている気がしてならない。

ピップは役名をすべて書きだし、ひとつひとつ線を引いて消していった。そのときふいに世界が暗くなり、なにも見えなくなった。

すべての照明が消え、あらゆるものが闇に呑みこまれた。音楽が消え、そのあとには鬱《うつ》陶《とう》しく、やかましいほどの静寂が残った。

その直後に誰かが悲鳴をあげ、沈黙が破られた。

10

「ローレン、叫ぶのはやめろ」右手のほうからコナーのうろたえ気味な声が聞こえてきた。

暗闇に目が慣れてきて、落ち着いてまわりが見えるようになってきた。もともと完全になにも見えないわけではなかった。目の前の三本のキャンドルがちらちらとした灯りを投げかけて光の輪をつくり、友人たちのぼんやりとした輪郭とほかの影を見分けることができた。

新たな顔の見えないシルエットがあらわれ、ドア口あたりでゆらゆらしている。頭がばかでかくてゆがんでいる。

「きみたち、いったいなにをしたんだ?」影がジェイミーの声で訊いてくる。

「おれたち、なにもしてないよ」コナーが答えた。

「あー、くそっ、たぶん停電だ」ジェイミーが言い、闇のなかで歩を進めた。

「停電じゃない」とピップ。自分の声がただならぬ静寂を破っておかしなふうに聞こえる。

「ほら、外を見て」暗闇のなかで自分自身がぼんやりとした影になっているのも忘れ、窓を指さす。「ご近所の家の窓から明かりがもれているのが見えるよね。おとなりさんは停電していない。ブレーカーが落ちたんだと思う」

「そうか」とジェイミー。「なにかをコンセントにつないだ?」

「いや」またコナーの声が聞こえてくる。「おれたちはただすわっていた。アレクサは最初から接続されていたし」

「だいじょうぶ——ブレーカーをあげればいいだけだから」ピップは少しよろめきながら立ちあがった。「分電盤がどこにあるか知ってる? 外?」

「いや、地下室だと思う」とジェイミー。「よくわからない。分電盤がある場所に行ったことがないから」

「あそこはめちゃくちゃゾッとするんだよな」コナーがなんの役にも立たない情報を追加する。

「いままでにブレーカーをあげたことある?」とピップ。レノルズ兄弟の沈黙が充分な答えになっている。ほかに口をはさむ者はいない。「わかった」そこでため息。「わたしがあげてくる」

いまここにパパがいたら、元気いっぱい、うん、うんとうなずいているにちがいない。分電盤の役割を覚えるのはパパの〝生きていくのに必要なこと〟リストの筆頭にあげられている。こちらとしては九歳のときにそんなリストについて教わる必要はなかったかもしれないけれど、パパがいつも言うように〝生きていくのに必要なことを学ばないと生きていけない〟ついでに言っておくと、車にガソリンが入っているか確認することについて、パパに語らせてはいけない。

「懐中電灯かなにか、必要じゃないか?」コナーが訊いてくる。

「そうよ、コナー」とローレン。テーブルの向こうの姿はぼんやりとしか見えない。「鍵をあけて携帯電話を取りだせば、携帯のライトを使える」

「そうだな」コナーは椅子の脚が床をこする耳ざわりな音を立てて立ちあがった。「ぜんぜん一九二四年っぽくないけど、そうしよう」くぐもった足音、そのあとにすぐ新たな音が聞こえてきた。コナーの両手がラジエーターの上をさぐり、金属を叩く音が暗闇のなかに響く。「くそっ。鍵が見つからない。この上に置いたはずなのに」

「もう、勘弁してよ、コナー!」とふたたびローレン。「わたしには携帯電話が必要なの」

「いいよ、だいじょうぶ」ピップは場をおさめるつもりで言った。それからテーブルのほうに身を乗りだし、燭台《しよくだい》をひとつ手に取る。吐きだす息で炎が揺れる。「これでいけると思う。ちゃんと見えるし。電気がつけば鍵を探せる」ゆらめく灯りを頼りにドア口に立つジェイミーのほうへ進む。

「手伝おうか？」とジェイミー。

「ううん、だいじょうぶ」みんなが帰る時間になるまえにゲームを終えられるか、という

ジェイミーの心配はわかるけれど、この仕事はひとりでやったほうが首尾よくいくだろう。

たいていの場合、ほかの人に手伝ってもらっても、かえって足手まといになるだけ。だか

らグループ研究は気乗りがしない。「ちょっと待ってて。心配はご無用」

レノルズ家の地下室におりていったことはないけれど、このドアで間違いない。貼り紙

もなく、架空のレミー・マナーのなかでどんな役割も与えられていない。ここをあければ

階段が待っている。ピップはキャンドルを近づけてドアハンドルを見つけ、つかんだ。金

属の冷たさが伝わってきて、肌がチクチクする。

「分電盤は奥の左手の隅にあると思う」輪郭だけのジェイミーが言う。

「わかった」ピップはドアを引きあけた。

ドアがキーッと鳴った。そう、当然のように、ドアは不気味にキーッと鳴る。その音が

暗い廊下に響きわたって、こっちはますます緊張する。〝落ち着きなよ、ピップ。ドアは

古くて、ほとんど使われていないというだけ〟

ドアをあけた先の空間はありえないくらい真っ暗で、じっと見つめていると、闇が命を

宿し、影となって迫ってきた。このままでは引きずりこまれて影の一部にされてしまいそ

う。掲げたキャンドルの小さな炎で影に呑みこまれるのをなんとか食いとめる。ここから階段になっているはずで、片足で階段のいちばん上にいるのをたしかめてからおりはじめる。足が暗闇のなかに消えていく。

下っていくにつれて空気は冷たく淀《よど》み、一歩おりるごとに暗さが増していくようで、キャンドル一本ではとても太刀打《たちう》ちできない。

上から四段目がきしんだ。階段とは、つねにどこかの段がきしむもの。

その音に心拍数が急上昇するけれど、頭では〝怖がるなんてばかげている〟とわかっている。ずっと殺人の話をしていたのだから、不安に駆られもするだろう。

六段目でなにかがむきだしの腕に触れた。指でさっとなでられたような感じで、そのやわらかい感触に鳥肌が立った。手で払いのける。クモの巣。手にまとわりつき、からみついてくる。ドレスに手をこすりつけて拭きとり、歩を進める。

足を踏みだしてさらに下へおりようとしたけれど、もう階段はなかった。床があるだけ。いちばん下にたどりつき、いよいよ地下室に足を踏み入れると、うなじに震えが走った。振りかえって、戻る道がまだそこにあるか確認する。階段の上に廊下につづくドアがぼんやりと見える。ここで予言しておく。わたしを閉じこめておもしろがるやつがいたら、今夜ほんとうに殺人事件が起こるかもしれない。

背後でなにかがカサカサ鳴っている。

くるりと向きを変えると、炎がこっちの動きにあわせて長い尾をのばす。なにも見えない。いや……見える。ほんの数フィート先、隅っこの上のほうに分電盤がある。キャンドルを高く掲げてあたりを照らしながら、そこへ向かって一歩一歩、歩を進める。いちばん端の赤いメインのスイッチも含めて、すべてのスイッチがさがっている。

指を宙にのばす。闇のなかでささやき声が聞こえる。ちょうど右側で。ほんとうになにかを耳にしているのだろうか。確信はない。心臓の鼓動がやかましく耳のなかで鳴っているから。

できるかぎり地下室全体を照らそうとしてキャンドルを高く掲げる。

そのとき、男の姿が目に入った。

反対側の隅っこに立って、こっちをしげしげと眺めているみたいに、暗い影となった頭をかしげている。

「だ、誰、そこにいるのは誰?」ピップは震える声で言った。

男は答えない。そのかわりに、頭上のどこか見えない割れ目から入りこんできた風がヒューッと鳴った。

指が震え、それにあわせて炎も揺れる。男が動きはじめた。こっちに向かってくる。

「来ないで！」

ピップはまわれ右をして分電盤のほうを向いた。明かりをつけなければ。明かりを、いますぐ。もうほんの数秒しかない……

気をとりなおしてキャンドルをぎゅっと握り、荒い息遣いで吸ったり吐いたりを繰りかえす。そして……、いや、来ないで。闇が迫り、上からかぶさるようにして身体を包みこんでくる。ピップはキャンドルの火を吹き消した。ああ、どうしよう、もう、やめて、お願い。

なにも見えぬなか、分電盤を手探りして親指で見えないスイッチに触れる。あげる、あげる、あげる、あげる。指が幅の広いメインのスイッチを探りあて、それを押しあげる。

明かりがつき、影の男は姿を消した。

消えたと思ったけれど、じつのところ男の正体は、無造作に積みあげられて布で覆われた段ボール箱だった。地下室にいるのは自分だけで、その事実を心臓に悟らせるのに数秒かかった。

階段の上からヒューヒューとはやしたてる声が聞こえてきた。

「よくやった、ピップ！」呼びかけてくるのはジェイミーの声。「早くあがっておいで！」

まずは何回か深呼吸をして、顔から恐怖の色が消えるのを待とう。それにしても、いったいなにが起きたのか。ここは散らかって埃《ほこり》っぽい、ただの地下室だ。でもちょっと待って。なんでまわりが見えるんだろう。電気のスイッチを押してもいないのに、どうして明かりに照らされてる？　それっておかしいでしょ。

階段に戻ると、さっきは迫ってきた影が、いまはあるべき場所におさまっていた。片手に消えたキャンドルを、もう片方の手で手すりを握り、クモの巣を避けながら階段をのぼっていく。そのとき思いもよらなかったものが目に入った。上から四段目のきしむ段の端にある、手すりを支える二本の支柱のあいだに一枚の封筒がはさまっていた。封筒にはあなただけの秘密の手がかりと書かれている。

ちょっと待って――えっ？

手に取り、ほんとうの手がかりかどうかたしかめる。

新たな手がかりだった。いちばん下に"Kill Joy Games TM"と、うすい文字が書かれている。

息を吐きだす。喉を通るときに息がかすれた笑いに変わる。

やってくれるじゃん、ジェイミー・レノルズ。

なにひとつとっても現実じゃない。この数分間のなにひとつとっても。

すべてはゲームの一部。電気が消え、ジェイミーは落ちたブレーカーをどうすればいいかわからないふりをした。なにかのアクシデントでブレーカーが落ちたわけではないのだろう。ジェイミーみずから、ここまでおりてきてブレーカーのスイッチをおろし、その一方でメンバー全員はダイニングルームでなにも知らずに待っていた。すべては誰かをひとりでここへ来させるために仕組まれたことだった。そしてその人物はボーナスとなる秘密の手がかりを手に入れる。

その人物とはわたし。

ピップはにやりとして封筒を破り、取りだした紙に目を走らせた。

おめでとう！

誰も知らないこの最後の手がかりはきみだけのもので、どう扱ってもかまわない。自分の胸にだけおさめておいてもいい。グループの面々と共有する必要はない。

この数カ月にわたり、レミー・マナーには定期的に医者が訪れていた。当時それを知っている者は、家族や奉公人も含めてひとりもいなかった。予後はよくなかった。レジナルド・レミーは肺がんを患っていたのだ。余命いくばくもないと思われていた。おそらく七十五回目の誕生日は迎えられないだろうと。

数週間前、レジナルドの病状について口を閉ざすのと引き換えに、医者に多額の金が支払われた。

この情報をきみはどのように利用するだろうか。

KILL JOY GAMES™

自分のまわりで世界が停止する。頭の上では埃が宙に舞った状態でとまり、両手で持った秘密の紙がくしゃくしゃになる。いずれにしろレジナルド・レミーは死につつあり、本人はそれを知っていた。しかし、レジナルドは誰にも知られたくなかった。この情報はすべてを変えてしまう。事件全体を。そうなると、事件を新たな角度から見なくてはならない。ずっとここに隠されていた重要事項を目の当《ま》たりにし、腹のなかをかきまわされている気がする。すべてが出そろったいま、目の前で容疑者が入れかわり――

ジェイミーがふたたび呼びかけてきた。

「いま行く」階段のいちばん上に向かいつつ、ドレスの襟《えり》ぐりから紙を滑りこませ、ブラのストラップの下にはさみこむ。

メンバーが待つダイニングルームのなかに入る。席について燭台をテーブルに置き、ジェイミーの視線をとらえる。ぎゅっと結ばれた唇の両端がかすかにあがっている。ピップはひかえめにうなずきかえした。

「オーケー」とジェイミー。ハワード・ウェイ警部の役に戻っている。「さて、真相を知るときが来ました。あなた方にとっては、最終的な推理を披露するときが。誰が殺人者か。ブックレットの最後のページを開いてください」

シーリア・ボーン、お疲れさまです。あなたは混乱をきわめたマーダー・ミステリの夜を生きのびました。

いよいよ最後の問いに答えるときです。
誰がレジナルド・レミーを殺したか。

下のスペースにあなたの答えを書きこんでください。

殺人者は：＿＿＿＿＿＿＿＿＿＿＿＿＿＿＿＿＿＿

動機は：＿＿＿＿＿＿＿＿＿＿＿＿＿＿＿＿＿＿＿

＿＿＿＿＿＿＿＿＿＿＿＿＿＿＿＿＿＿＿＿＿＿＿

＿＿＿＿＿＿＿＿＿＿＿＿＿＿＿＿＿＿＿＿＿＿＿

＿＿＿＿＿＿＿＿＿＿＿＿＿＿＿＿＿＿＿＿＿＿＿

＿＿＿＿＿＿＿＿＿＿＿＿＿＿＿＿＿＿＿＿＿＿＿

KILL JOY GAMES™

11

わかった。

殺人者が誰か、わかった。

頭のなかですべてのピースが正しい場所にはまった。電気が消えた真っ暗闇のなかに新たな光がさしこみ、忘れかけていたあれこれがよみがえった。誰かが言ったことだけではなく、その言い方にあらわれていた手がかり。文字ではなく、文字の形のなかにも見つけた。つまりフォントに。ダイニングルームにいるメンバーのひとりひとりに目をやり、容疑者から容疑者へとせわしなく視線を移しながら、頭のなかで推理を展開させていく。この部屋に、この屋敷のなかに、殺人者がいる。ここは一日に一便しか船が来ない隔絶された島。

真実はずっと、目を引く手がかりや秘密のなかにうもれるようにして隠れていた。自分は考えが甘く、それを見抜けなかった。あからさまでも、見つけやすくもなかった。ゲームとはいえ、これは殺人事件なのだから当然だ。でもいま、どれほど複雑にからみあっていても、自分は真実をつかんでいる。ねじれてゆがんだ真相を。すべてを書きとめるには、最後のページの四、五行ではぜんぜん足りない。

「さて――」ジェイミーが両肘《りょうひじ》をついて身を乗りだす――「こちらから真相を告げるまえに順番にそれぞれの推理を提示してほしい。ローレン？　口火を切ってくれるかな？」

「オーケー」ローレンは首にかかったビーズのネックレスをいじったり、引っぱったりしている。「犯人は……カーラ、つまり、料理人のドーラだと思う」そこで間《ま》をおく。カーラはハッと息を呑み、あからさまにいやな顔をした。「ドーラは商売敵《がたき》のガーザ家となんらかの関係を持っていて、身元を偽《いつわ》ってこの家に入りこんだ。商売上の秘密を盗み、わたしの義理の父を殺すために送りこまれてきたんだと思う」

部分的には正しい、とピップは思った。でも、いちばん重要な部分は間違っている。

「アント、きみの推理は？」とジェイミー。

「そうだな、このあたりにいる殺人者といえば……サル・シンだな」アントはにやりと笑って言った。「彼の幽霊が殺《や》ったにちがいない。最初はアンディ・ベル、次に年寄りのレジナルド・レミー」

「アント！」カーラがお尻を前にずらし、テーブルの下でアントの脚を蹴《け》った。

「痛っ。わかった、わかった」アントは降参の印に両手をあげた。「そうだな、えーっと……ピップ。きみの名前、なんだっけ？」

「シーリア」アントを睨《にら》みながら言う。

「そう、シーリアだ。今回の件は、よい子《グッドガール》が悪い子になっちゃったんじゃないかな。ピップとしては、殺人者になるなんてイラつくにもほどがあるとは思うけど。まあ、そういうこと」

「理にかなった推理をどうも」とジェイミー。口調にはいらだちの色がうかがえる。「次」

ザックの番。ピップはザックが咳払《せきばら》いするのを注意深く観察した。

「犯人はわたしの兄、ボビー・レミーだと思う」どこか遠くのほうを見つめてザックが言う。「ボビーはどうしてもギャンブルをやめられなくて、たぶん母さんはそれに気づいたんだろう。一年前の今日、運命的な散歩に出て、兄さんに事実を突きつけたんじゃないかな。それで兄さんは母さんを殺した。崖から突き落として」

やっぱり自分は正しかった。ラルフ・レミーは兄が母親を殺害したのではないかとずっと疑っていたのだ。

「兄さんはまえにも殺人を犯し、今度もまた殺人に手を染めた」ザックがつづける。「父さんが遺言書から自分の名をはずすことをボビーは知っていた。でもどうしても金がほしかった。兄さんは父さんのことをどうみなしていたか――たんなる銀行と考えていた。だから兄は新しい遺言書を破り、父の心臓を刺した。ああ、それと、ディナーのまえに会おうというメモですが、あれはボビーがわたしの妻のリジーにあてたものです。でも兄さんはあれで自分のアリバイをつくろうとしただけだった。あのメモがあれば、犯行の時刻にリジーといたという証拠になる。リジーがメモを無視したとしても」

〝ちがう〟ピップは思った。そうじゃない。でも、あのメモは重要。行間を読むと、貴重な手がかりが浮かびあがってくる。

「コナー?」ジェイミーが弟を指さす。

「えーっと、わたしはシーリア・ボーンの犯行だと思います」横目でちらりとこっちを見る。「シーリアはロシアのスパイかなにかなんでしょう。〝スパイ〟という言葉に繰りかえし反応していましたから。それに、自分に不利になる証拠を隠そうとしていた。それと、レジナルドの金庫を破った理由に関して彼女は嘘をついていると思う。金庫のなかでなにを見つけたか知りませんが、きっとハリス・ピックとかいう人物にかかわるなにかで、レジナルド・レミーを〝終わらせる〟のが彼女の任務になっていたんじゃないでしょうか」

コナーの推理は完全に間違っているとはいえ、彼の観察眼にピップは舌を巻いた。内心が顔に出ないよう、表情を消す。次は自分の番だ。首をこきこき鳴らし、しゃべる準備を整える。

い。

「カーラ?」とジェイミー。視線が通りすぎる。どうやら最後に話せということらしい。おそらくこっちがおまけとして秘密の手がかりを与えられた者だからだろう。それを持つ者が謎解きの正解者になる可能性がいちばん高いと思っているはずだ。ジェイミーは正しい。

「そうだね、世界一、鬱陶《うっとう》しい人物に一票」カーラはフェイスペイントの皺《しわ》をくしゃくしゃにしながら言った。「あたしはボビー・レミーだと思う。あらゆる状況が彼を指している。ボビーは弟の妻と浮気をしている。ギャンブルにはまっているし、ギャングとかかわっているらしい。ラルフが言ったとおり、彼はたぶん自分の母親も殺してる。父親の遺産がほしいから、書きかえられた遺言書を破き、父親を殺した」

カーラは〝ひっかけ〟にはまってしまった。まさしく、目論見《もくろ》どおりに。

さあ、いよいよ自分の番だ。

ジェイミーに名前を呼ぶ間も与えずに、ピップは立ちあがった。

「オーケー、殺人事件の犯人にたどりつくまえに、まずは犯人ではない人物を除いておかなきゃならない。ドーラ・キーは——」カーラを手振りで示す——「ガーザ家から送りこまれたスパイ。彼らはまえの料理人を脅《おど》して辞めるよう仕向け、ドーラを後釜に据え、レミー家の商取引を監視させ、報告させた。でもドーラがレジナルド伯父さまを殺したわけじゃない。どうして殺す必要がある？　彼を殺して得られるものは、ドーラにもガーザ家にもなにひとつないのに」

ローレンががっかりした表情を浮かべた。ピップはローレンのほうを向いた。「あなたはね、リジー、事件が解決しても、前途はちっとも明るくない。あなたはレミー家から金を盗んでいた。具体的にはロンドンのカジノの金を横領していた。おそらく、夫の兄と寝ていることが夫にばれ、離婚されてすべてを失うはめになった場合にそなえて、経済的な安定を確保しておこうとしたんでしょうね。レジナルドはあなたが盗みをはたらいているのを見抜き、一方であなたはレジナルドが警察に通報するんじゃないかと不安でたまらなかった。でも、あなたは殺人者じゃない。彼が死んでほっとしたでしょうけれど。

ハンフリー・トッド――」そこでコナーと視線をあわせる――「あなたはレジナルド・レミーを憎んでいた。彼の死を望んでさえいた。〝死ねばいい〟と言ったのは、娘さんを訪ねるために休暇がほしいとレジナルドに頼んだけれどはねつけられたから。あなたは事実を語った――」そこで間をとる――「でもすべてを語ってはいない。二週間前に休暇をとりたかったのは、この世界に残されたたったひとりの家族であるあなたの娘さんが死病に冒されたから。天然痘《てんねんとう》に。でもレジナルドはだめだと言い、あなたの娘さんはその直後に亡くなった。別れの言葉を交わす機会も得られなかった。だからあなたはレジナルドをてはいない」

憎んだ。実際、憎しみは強い動機になる。とはいえ、あなたもレジナルド・レミーを殺し

コナーの頰が紅潮し、ピップは自分が正しいことを悟った。

「わたしの役に関しては」ピップは胸に手をあてて言った。「そう、ハンフリー、あなたは部分的には正しい。わたしは秘密情報部のために働いているスパイで、伯父について調査するよう指示された。彼が共産主義の煽動的《せんどうてき》な活動家を資金面から援助しているかどうかを。ハリス・ピックは共産主義の有名な煽動者。でも、わたしは伯父を殺していないし、わたしの任務は見当違いのものだった。レジナルドは共産主義者の援助なんかしていなかった。昔受けた恩を返していただけ。戦場で命を救ってくれた旧友にお金を送ることで。というのも、ちょっとびっくりな展開なんだけど……レジナルド・レミーは自分がもうすぐ死ぬことを知っていたから」

「えっ?」ローレンとアントが同時に言い、ほかのメンバーはこっちを見つめている。

「ほら」ピップはドレスの下から秘密の手がかりを抜きだし、テーブルのまんなかに置いた。「秘密の手がかりが地下室に隠されていた。ブレーカーのようすを見にきた者が見つけるようにと。レジナルドは肺がんで死にかけていて、医者からは余命いくばくもないと言われていた。その件については口外しないよう、数週間前に医者に多額の金を渡してい

た」

「なんてことだ」ザックが手がかりの紙に目を落として言った。

「ほんとに〝なんてこと〟」ピップは話をつづけた。「ドーラ、あなたが言ったとおり、あらゆる状況がボビー・レミーを指し示しているように見えるし、それを裏づけるきちんとした理由もある。でもね、ほかの者には犯行時刻におけるアリバイがない一方で、ここにいるふたりにはアリバイがある」そこでローレンとアントをあごで示す。「殺人が起きた時刻に、リジーとボビー・レミーはいっしょにいた。間違いなく、さらなる〝性的行為〟におよんでいた。リジーはそれをけっして認めないでしょう。とくに夫であるラルフの前では。だって、離婚されていままで慣れ親しんできた豊かで心地よい暮らしを失うのを恐れているんだから。ボビーもリジーといっしょにいたことをあかせないから、ひとりで散歩に出ていたなんて言った。リジーに自分のアリバイを裏づけてもらうわけにはいかないから。殺人者は殺人が起きた時刻にボビー・レミーがどこにいたか正確に知っていたし、ボビーがみずからのアリバイを証明できないのもわかっていた。で、リジーもボビーも、どちらも殺人者でないとしたら、今夜のゲストのなかに殺人者と思われる人物はたったひとりだけ」

ピップはザックに視線を向けた。「ラルフ・レミー、殺人者はあなた」

「なんだって？」コナーが大声をあげたけれど、ピップにはどこか遠いところ、自分がいるのとはべつの世界からの声のように聞こえた。

「あなたを〝殺人者〟とほんとうに呼んでいいか、確信はないけれど。だって、あなたのお父さんが共謀者で、自分を殺してほしいとあなたに頼んだわけだから」

「えっ⁉」今度はカーラ。

「驚くのもあたりまえ。今回のことはぜんぶラルフ・レミー、レジナルド・レミー、それともうひとりの人物によって念入りに立てられた計画なんだから」そこで間をおく。心臓が激しく胸を打つなか、ピップは指を一本掲げ、〝もうひとりの人物〟を指した。「あなたですよね、ハワード・ウェイ警部」

「えっ⁉」今度はローレン。

ジェイミーが凍りついた。眉《まゆ》をしかめてじっと見つめてくる。

「ラルフは兄のボビーが去年、母親を殺したとずっと疑っていた。ふたたびギャンブルに手を出したのを母親に気づかれて、崖から突き落としたと。レジナルド・レミーも言葉には出さずとも知っていた。長男は殺人者で、じつの息子に最愛の妻を奪われたと。でも、ボビーが誰かを殺したのはそれがはじめてではなかった。そう、最初じゃなかったの。ボビーを殺すと脅してきたギャングに息子がギャンブルでつくった借金をレジナルドが返し

たあと、あろうことかボビーはギャングの一員になった。イースト・エンド・ストリータ
ーズのメンバーとして、ガーザ家が経営するカジノでコカインの取引をするところも目撃された。結局のところ、ボビーは深刻なギャンブル依存症から抜けだせなかった。ハワード・ウェイ警部とスコットランドヤードは、以前から何度もイースト・エンド・ストリーターズの犯罪の証拠を押さえようとしていた。警部、あなたの相棒は潜入捜査をおこない、麻薬取引の実態を暴こうとして撃ち殺されたんですよね。そしてあなたは誰が相棒を撃ち殺したのかを正確に知っていた。犯人はボビー・レミー。母親殺しと警官殺し、ボビーは少なくともこの二件の殺人事件の犯人なのに、どちらの事件でも法の裁きを受けることはなかった。犯罪の事実を立証するのは難しい。ボビーはあいかわらず野放しで、必要とあらばふたたび人を殺す。

誰かがボビーをとめないかぎり。さて、レジナルド・レミーが自分は死ぬと悟った数カ月前に話を戻しましょう。気の毒な妻のために法の裁きが下されるのを生きて見ることはないとレジナルドは知り、一方で長男はきわめて危険な男という事実をつかんでいる。そこでもうひとりの息子のラルフとひそかに計画を立てた。みずからが手を下した二件の殺人事件でボビーがけっして逮捕されないのであれば、もうひとつべつの殺人に手を染めるよう仕向ければいい。レジナルド・レミー殺害に。いずれにしろ、じきに自分は死ぬのだ

から。それならばボビーを一生閉じこめておくためにその死を活用したほうがいい。そこで、死期が近いことを誰にも気づかれないよう、医者に金を払って口どめをした。ラルフとしては、母親の死に対して正義がおこなわれるのを目にするだけでなく、すでに明白になっている、妻と兄の密通をとめられる。ラルフとレジナルドはボビーの過去を調べ、警官の死にボビーがかかわった事実をつかみ、ハワード・ウェイ警部に接近したのでしょう。そうして警部は計画の一端を担うことになった。あなたもまた、相棒のために法の裁きが下され、危険な男が街から追い払われるのをどうしても見たかったんですよね、警部」

「でも、警部はゲームの一部じゃないんじゃない？」とローレンが言う。

「ふつうはそう思うよね」とピップは返した。早くしゃべりたくて気が急《せ》く。「でもね、あるひとつの情報がはじめからずっと提示されていた。最初に注意事項のひとつとして知らされていたの。招待状には、本土からジョイ島への船は一日に一便、午後零時《れいじ》きっかりに出航すると書いてあった。今日、レジナルドが殺されたのは午後五時十五分から六時半のあいだで、事件後すぐに――念のために言っておくけれど、同じ晩――殺人事件の解決に手を貸すために警部があらわれた。じゃあ、警部はどうやって島まで来た？　ちょっと考えてみて」そう言ってから、テーブルに身を乗りだす。「答えは、彼はもともと屋敷にいた。ハワード・ウェイ警部は午後零時きっかりの船に乗ってジョイ島に到着してからずっと屋敷にいたの。殺人事件が起きるまえから。警部は事件が起きるのを知っていた。彼はレジナルド殺害の罪をボビー・レミーに着せるための計画の一翼を担っていたから。だから、手がかりのほとんどはボビーを指し示す内容になっていた。実際、警部が〝犯人はボビー〟の方向へ舵《かじ》を切っていた」

ピップはテーブルのまんなかに集められた証拠から、一度破られてテープでとめられた遺言書をつかんだ。「ボビー・レミーはこの書きかえられた遺言書を見つけてもいないし、破ってもいない。破ったのはラルフとレジナルド。今日の夕方に彼らがふたりきりで図書室にいたのをわたしたちは知っている。ふたりは遺言書を破って暖炉のなかに捨てた。でも燃やしはしなかった。見つけてもらいたかったから。彼らは父親を殺す動機をボビーに与えようとしていた。お金、という動機を。わたしは昨日の晩、ラルフと伯父さまとのあいだで交わされた口論を耳にした。ふたりはビジネス計画について話していたんじゃない。この計画について話していた。レジナルドを殺して、その罪をボビーに着せる計画について。わたしが耳にしたのは――」ブックレットを見て再確認する――「ラルフのこういう発言。〝お父さん、それは無理だ、できない〟〝この計画はばかげているし、うまくいきっこない〟〝そんなことをしたら、ただじゃすまない〟」ラルフはこの計画について、父親の胸をナイフでひと突きすることについて、あきらかに怖気づいている。しかしレジナルドが説得して、やらせたのだろう。

「見て」ピップはピザの箱のなかにあった最後の手がかりを手に取った。「これは〝RR〟からのメモ。あなたたちのなかには、これはボビーがラルフに隠れてリジーを誘ったメモだと思った人もいる。ボビーが自分のアリバイをつくるために意図的にこれを書いたと思った人もいる。こう書いておけば、犯行時刻にボビーはリジーといっしょにいたと言えるから。でも、このメモを書いたのはボビーじゃない。ここにある〝RR〟はボビーじゃないの。このメモは――」紙を掲げる――「レジナルド・レミーが息子のラルフにあてて書いたもの。〝今夜〟……」メモを読みはじめる。「〝きみはわたしに約束した……彼はわれわれが同情すべき人物ではない〟レジナルドはラルフが二の足を踏まないよう釘《くぎ》をさした。これでもまだわたしの言い分が信じられないなら、手書きの文字を見て。フォントを。キャロットケーキについて料理人にあてた〝RR〟のメモはボビーが書いたものだと、わたしたちは確信している。で、こっちを見て。この〝今夜〟のほうのメモはちがう手書きのフォントで印刷されている。ふたつのメモはそれぞれべつの人物によって書かれたから。〝今夜〟の手書きのフォントは――」そこでメモを振る――「レジナルドからの招待状のフォントと一致する。それに彼の小切手帳のとも。つまり、レジナルドが週末の誕生日パーティーを計画し、そこでみずからを殺させて、その罪を息子のボビーになすりつけようとしたのが真相。そのためにラルフ――父親の心臓をひと突きして殺すというつらい仕事をまかされた――と警部に協力を求めた。ふたりにはボビーに対して晴らすべき恨みがあった。ロバート・〝ボビー〟・レミーは殺人者だけれど、わ、わ、わたしたちの殺人者じゃない。わたしたちが解くべき殺人事件は三人の共謀者たちによって実行された。ラルフ・レミー、レジナルド・レミー本人、そしてハワード・ウェイ警部」

ピップはメモを手から放し、息を詰めながら、それがテーブルへゆっくりと落ちていくのを眺めた。メモは殺人者を指し示すようにザックのまん前に着地した。

コナーが最初に口を開いた。「ワオ」そう言ってから、口をあんぐりとあけてこっちを見つめ、拍手しはじめた。「マジで……ワオ」

「ったく、きみの頭は恐ろしいくらいにキレッキレ」カーラは笑い、息を呑んだ。どうやら今回は演技ではないらしい。

凍りついていたジェイミーがようやく動きだし、マスター・ブックレットに目を落として、最後のページを開いた。「いまの推理だけど」聞きとりにくい、かすれた声でしゃべりはじめる。「その推理は……間違っている」

トランペットが悲鳴にも似た音を鳴らした。

「えっ？」ピップはジェイミーを見つめた。「どういうこと？　〝間違っている〟って」

「そ、それは正しい答えじゃない」ジェイミーの視線がふたたびブックレットのページに落ちる。「起きたのはそういうことじゃない。ボビーだ。殺人者はボビー」

「イェーイ、ベイビー！」ふいにアントが大声をあげ、ピップはびくっとした。アントは立ちあがり、勝利のポーズなのか、頭の上に両手を掲げた。「おれが殺人者だ、野郎ども！」

「ちがう……」ピップは締めつけられた喉から言葉を押しだした。「それはありえない」

「そうだとここに書いてある」ジェイミーは眉根を寄せて言った。「ボビーがレジナルドを殺したとここに書いてあるんだ。そう、きみの言うとおり、ボビーは去年、母親を殺した。ギャンブルをしているのが母親にバレてしまったから。父親に知られたら勘当されてしまうかもしれないとボビーは不安になったんだ。今週になって新たな遺言書に相続人として自分の名前がないことを知り、父親を殺して新たな遺言書を破り捨てた。そうすれば莫大《ばくだい》な遺産を受けとれるから。ピザの箱から見つかった〝RR〟のメモはボビーが書いたものだ。アリバイがあるように見せかけるため、つまり犯行時刻にリジーといっしょにいたと思わせるためにね。あれはまえもって計画されたものだった」

「ちがう！」ピップはふたたび言った。いまやいらだちを隠しきれなくなっている。「ちがう、それじゃあ正しい回答にならない。あまりにもあたりまえすぎる。安易すぎる。筋だって通ってない！」

「回答を聞いて、いまにも死んじゃいそうだな」アントがクスクス笑う。「とんでもなく間違った推理をしちゃって。惜《お》しいなあ、いまのを携帯で撮りたかったよ」

「わたしは間違っていない」ピップは頑《がん》として譲《ゆず》らなかった。怒りが首筋を這いあがってきて、頬が紅潮しているのがわかる。「じゃあ、手書きのフォントの件を説明して。べつべつの手書きのフォントで印刷されているのに、どうして両方ともボビーが書いたメモだって言える？」

「えーっと」ジェイミーはブックレットのページをさかんにめくっている。「うーんと、だめだ、わからない。それについてはここになにも書かれていない」

「じゃあ、秘密の手がかりについては？　レジナルドは自分ががんで死にかけているのを知っていたの？　それとボビーが殺人者ということはどう関係する？」

「えっと……」ジェイミーはページ上に指を走らせた。「ブックレットによると、ボビーは父親に下された診断結果を調べ、それでレジナルドがすぐに新たな遺言書を作成するだろうと考えたうえで、遺産を確実に手にするために早急に行動を起こす必要があると思った」

「じゃあ、誰が医者に金を払ったの？　それとあなたは？」ピップは両脇に垂らした手を握りしめ、そのせいで指の爪がてのひらに食いこんだ。「警部が殺人計画の共謀者じゃないとして、彼がいまここにいる事実をゲーム上ではどう説明する？　島に渡る船は一日に一本、午後零時ぴったりの便しかないんだよ。あなたがいまここにいるのは、事前に殺人について知っていたからとしか考えられない」

ジェイミーは顔をしかめ、ブックレットのページをふたたび見た。「そうだね、えーっと、なんて回答すればいいかわからないよ、ピップ、ごめん。ブックレットにはそれについてなにも書かれていない。ボビーがレジナルドを殺した、とだけしか」

「そんなのズルいよ」ピップは言った。

「ちょっと、ちょっと」カーラがフェザーボアの端っこを引っぱってきて、ピップはしかたなく椅子にすわった。「細かいことはどうでもいいでしょ。たんなるゲームなんだから」

「でも、間違ってる」きっちり白黒をつけたいという気持ちは徐々にうすれ、てのひらについた半月の形の爪あとともに消えていった。それでも「ボビーが犯人だなんて安易すぎる。簡単もいいところ。それにどこもかしこも穴だらけ」とメンバーに向けてというよりも自分自身に向けて言った。どうしてこんなにものめりこんでしまったのだろう。たかがゲームなのに。

「うん、わかった。でもいいじゃん。楽しかったんだから」カーラが言って、こっちの手を握った。「それと、わたしは犯人をあてた。だからわたしがいちばんえらい」

「うん、このゲーム、すごく楽しかった」場をなごませるつもりなのか、コナーがひときわ明るい調子で言った。「思ったよりも話が入り組んでいて。とにかくジェイミー、ぜんぶお膳立てして、ホスト役までつとめてくれてありがとう」

「そうだね、ありがと、ジェイミー」とカーラが言い、ピップもつづいて礼を言った。

「どういたしまして」ジェイミーは言い、警察官のヘルメットを脱いでお辞儀をした。

「ウェイ警部、これにて退場」

まあ、楽しかったのはたしかだ。最後の少しまえまでだけど。ゲームの最中、気づくとまわりの世界は消えていた。あるのは自分と自分の頭と、解くべき問題だけ。すばらしいひとときを過ごせた。もっとも自分らしくなれる時間を。

でも間違っていた。

間違うのは大嫌いだ。

ブックレットを閉じ、いちばん下にあるロゴに沿って親指を走らせた。ページをビリッと少しだけ破り、ちょっとした仕返しのつもりで"Kill Joy"の文字に裂けめを入れた。

12

「それで、パーティーはどうだった？」車の運転席からエリオット・ワードが訊いてきた。ピップ・フィッツ＝アモービの生活においてミスター・ワードはいくつもの役割をこなしている。カーラのパパであり、歴史の先生でもある。じつのところいちばん好きな教師だけれど、本人にはそれを告げていない。こっちはしょっちゅうワード家に入りびたっているので、ワード先生はもうひとり娘がいると思っているかもしれない。ワード家にはずっと置きっぱなしの〝ピップ専用〟マグカップまである。

「すごく楽しかった」助手席のカーラが答える。「ピップったら、推理が間違っていたもんだから、ふくれちゃって」

「そうなのか、ピップ」とワード先生。「たぶん、ゲームのほうに間違いがあったんだよな、だろ？」そう言ってからかい、すばやく振りかえって、後部座席にすわる娘の友人ふたりにちらりと笑顔を向けた。

「ちょっと、ちょっと、パパ、ピップを調子に乗せちゃだめ」カーラが言い、指をなめて皺を拭きとりはじめた。

「ぼくはピップの推理のほうがいいと思った」暗い後部座席でザックが言った。

ピップは口を閉じたままの笑顔をザックに向けた。〝ラルフが殺人者〟が正解でなかったのは、なにもザックのせいではなく、〈キル・ジョイ・ゲーム〉の制作陣に物書きとしての才能がなかっただけ。ボビー・レミーが犯人だなんて、とピップは鼻先で笑った。あまりにも安易。いけない、まだ怒りがおさまっていないらしい。

「さて、試験はすべて終わったことだし」とエリオット。車はハイ・ストリートに入っている。「若者たちよ、自由を謳歌《おうか》しているかな?」

「はい、もちろん」とザック。「プレイステーションのゲームの数々がぼくを待っています」

「シャーロックさん、あなたはそういうわけにはいかないよね」とカーラが話を振ってくる。「自由を謳歌するどころじゃないでしょ、ピップは。もう自由研究で得られる資格《EPQ》の話をしているんだから」

「貧乏暇なしってこと」ピップは冗談で返した。

「テーマを決めたのかい、ピップ」エリオットが訊いてくる。

「まだです」エリオットの頭に向けて答える。「でも、決めます。すぐに」

車は環状交差点《ラウンドアバウト》に近づいていき、左のウインカーを点滅させてピップとザックの家がある通りへ曲がろうとしていた。

そこで、とつぜん急ブレーキがかかった。

車が急停車すると同時に、ピップはザックとともにシートベルトをはめたまま前のめりになった。

「パパ?」カーラが心配のためか声を尖《とが》らせてエリオットを見つめる。エリオットは娘と視線をあわせず、窓の外に目を向けている。

「なんでもない」エリオットは首を振った。「すまないね、ちょっと見たような気がして……ある人物を。そっちに気をとられてしまった。申しわけない」そこでイグニッションにささっているキーをまわして、ふたたび車を発進させた。「カーラといっしょに車の教習所に通ったほうがいいかもしれないな」車を走らせながら笑う。

ピップは窓のほうを向き、暗い通りに目を凝《こ》らした。ワード先生は誰かを見た。たったいま車の近くを通りすぎた人物を。人影が街灯のオレンジ色の光の下を通りすぎた。ワード先生が目にしたにちがいない人物を、瞬間的にピップも見た。彼の顔を。事件を報じたニュース番組で見て知っている顔、記憶のなかにうもれていた顔を。サル・シン。いや、そんなはずはない。彼は死んでいるのだから。五年前に死んだのだから。

目に入ったのはサルの弟のラヴィ・シンだった。横から見るとふたりはそっくりだ。ラヴィを直接は知らないけれど、リトル・キルトンのほかの人たちと同様に、彼については噂でよく知っている。

彼にとっては過酷なはず。小さな町で起きた殺人事件にいまだにとりつかれているこの小さな町に住むのは。何年過ぎようが、事件から逃れることはできない。町と死は手と手を取りあって、永久に結びついたまま。アンディ・ベルの事件。ボーイフレンドのサル・シンに殺された女の子。裁判は開かれなかったけれど、サル・シンが殺したというのが定説になり、誰もがそれを信じて疑わない。無難な線で事件は落着とされている。犯人はボーイフレンド。いつだって犯人はボーイフレンド、と人は言う。落ち着くところに落ち着く。なんだか……とても安易。ピップはすっと目を細めた。どう考えても、安易すぎる。

首を目いっぱいひねって、歩き去るラヴィを見つめる。彼の足取りは速く、車も走っているから、両者の距離はどんどん開いていく。

彼は行ってしまい、夜のなかに消えた。

でも、そのあとになにかが残った。

「わたしね」とピップは言った。「自由研究《プロジェクト》のテーマをなににするか、決めた」

訳者あとがき

まずは『自由研究には向かない殺人』からはじまる三部作をお読みくださった読者のみなさまに心からお礼を申しあげます。ホリー・ジャクソンが紡《つむ》ぐピップ・ワールドの日本語版を最終巻まできっちりお届けできたのは、みなさまの熱いご支持のおかげです。ほんとうにありがとうございました。さまざまなご意見、ご感想を頂戴しながら、無事にピップの物語は終了……ちょっと待って、番外編がある？　それも『自由研究には向かない殺人』の前日譚？　そんなの絶対に読みたいに決まってる！　またピップに会える！　最終巻の『卒業生には向かない真実』では賛否がわかれ、かならずしも〝賛〟ではない読者もいらっしゃったかと思います。でも、だいじょうぶ。ちょっと面倒くさいけれど、元気で頭がキレッキレのピップ・フィッツ＝アモービが、本書でふたたび冴えに冴えた推理を披露いたします。

というわけで、『受験生は謎解きに向かない』（原題 *Kill Joy*）をお届けします。三部作を未読の方でも充分にお楽しみいただけますが、既刊のあれやこれやがさりげなくちりばめられているので、三部作のあとにお手に取っていただいたほうがより楽しめると思います。ああ、これはあれだね、にやり、という具合に。ホリーの遊び心やサービス精神を読者のみなさまに感じていただければさいわいです。それと、二作目の『優等生は探偵に向かない』で六人のあいだに亀裂が入ってしまう友情も、『受験生は謎解きに向かない』ではまだ盤石《ばんじやく》です。懐かしささえ覚えてしまう、ありし日の六人の微笑《ほほえ》ましいやりとりも読みどころのひとつ（アントはあいかわらずウザいですが）。『自由研究には向かない殺人』へと自然につながるラストも、うまい！　と思わず膝《ひざ》を打ってしまいます。

物語は一通の招待状からはじまります。絶海の孤島ジョイ島で開かれるレジナルド・レミーなる人物の誕生日パーティーへの招待状。これはピップの友人、コナー・レノルズの家でおこなわれる犯人当てのゲームで、招待客は設定された時代（一九二四年）にあわせた服装で参加します。ひとまず学校の試験は終わったものの、自由研究で得られる資格《EPQ》のテーマをまだ決めていないピップは、気乗りがしないままコナーの家へ向かいます。そしてゲームがはじまったとたん、殺人事件が発生し……。シリーズに登場する友人たち、プラス、コナーの兄のジェイミーとともに、いやいや参加していた犯人当てのゲームにピップはいつの間にかのめりこんでいきます。

でもね、長大な三部作に比べるとずいぶん短いし、ホリーがおなじみの仲間を配してさくっと書いたおまけみたいな作品じゃないの？　いえいえ、けっしてそんなことはありません。短い作品ながらも、本書は練りに練られた読み応え抜群のフーダニットです。一語一句、見落とせない、バリバリの本格ミステリ。携帯電話など存在しない古きよき時代に発生した殺人事件にピップはどう挑むのか。SNSやアプリを駆使するお得意の調査方法ではなく、みずからの観察眼と集中力だけを頼りにどんな推理を見せるのか。きっと読者のみなさまにもホリーが仕掛けたゲームを楽しんでいただけることでしょう。いまさらながら、ミステリ作家としてのホリー・ジャクソンの底知れぬ才能にただただ驚くばかりです。

さて、三部作後のホリー・ジャクソンの活動に触れておきます。二〇二二年十一月にアメリカを舞台にした *Five Survive* という作品が発表されました。これは、男女六名の若者が春休みを利用してキャンピングカーで旅行へ出かけ、ある出来事が起きたために恐怖の一夜を過ごす、というサスペンスフルな物語です。六名はそれぞれに秘密をかかえ、それを白状しなくてはならない状況に追いこまれていきます。誰がどんな秘密をかかえているのか。午後十時から翌朝六時までの八時間にわたる、キャンピングカーという密室で繰り広げられる群像劇です。探偵役が謎をひとつひとつあきらかにしていき、事件を解決するという謎解きのスタイルから、得体が知れないものに支配されて極限状態を味わうサスペンスへと、作風ががらりと変わっています。まるで一本の芝居を観るような新感覚のミステリです。いやでも期待が高まりますね。

Five Survive のあとは、*The Reappearance of Rachel Price* というタイトルの、これまたサスペンスに満ちた作品の刊行が二〇二四年四月に予定されています。こちらも舞台はアメリカで、十六年前に失踪したレイチェル・プライスという女性をめぐる物語です。どうやら三部作の一作目とのこと。どんな物語が飛びだすか、いまからわくわくしています。ホリーのことですから、きっと予想の斜め上をゆく、驚きに満ちたストーリーを届けてくれることでしょう。

またイギリスのBBC制作で『自由研究には向かない殺人』のドラマ化も進んでいるようです。ネットフリックスのドラマ〈ウェンズデー〉のイーニッド役をつとめたエマ・マイヤーズがピップを演じるとのこと。ラヴィ役は新人のゼイン・イクバルという俳優さんだそうです。ホリー・ジャクソンのSNSのアカウントをのぞいてみると、仲よさそうにしている三人の写真がアップされています。こちらも楽しみですね。日本でも観られますように。

最後になりましたが、ホリー・ジャクソンの三部作を推してくださった全国の書店員のみなさまにもお礼を申しあげます。また、編集者の佐々木日向子さんをはじめとする東京創元社のチームのみなさん、すばらしいカバーのデザインをしてくださった大岡喜直さんにも、この場をお借りして感謝の気持ちを捧げたいと思います。ともに駆け抜けてくださり、ほんとうにありがとうございました。

二〇二三年十一月

解説

瀧井朝世

イギリスの小さな町、リトル・キルトン。六月のある宵《よい》、仲良しの高校生たちが集まって架空の犯人当てゲームを開催します。他愛のない遊びのようでいて、二転三転のスリリングな展開を見せていくゲームの様子を、少女ピップの視点から追っていくのが本作『受験生は謎解きに向かない』です。この作品単独でも充分に楽しめますが、ピップを主人公にした小説の邦訳はこれまでに『自由研究には向かない殺人』『優等生は探偵に向かない』『卒業生には向かない真実』の三部作が発表されており、本作はその前日譚です。

ホリー・ジャクソンはロンドン在住の作家。デビュー作『自由研究には向かない殺人』はブリティッシュ・ブックアワードのチルドレンズ・ブック・オブ・ザ・イヤーを受賞、また児童文学を対象としたカーネギー賞の候補にもなりました。そう聞くとこのシリーズは若い世代の読者が対象だと思われるかもしれませんが、大人の間でも大変な話題となり、英米でベストセラー、また日本でも邦訳が刊行された二〇二一年の年末には各ミステリランキングの海外部門に続々とランクイン、翌年には本屋大賞の翻訳小説部門第二位に選ばれました（ちなみに第二作『優等生は探偵に向かない』もカーネギー賞の候補となりました）。そうした結果から分かる通り、大人から子供まで楽しめる上質なミステリシリーズとなっています。ただし、第三作では驚愕の展開が待っているのですが。

昨今は犯人当てを楽しめるさまざまなゲームがあります。作中で彼らが使っているのも、そうした遊びができるゲームブックのひとつだと思われます。孤島、屋敷、大富豪が殺される、犯人はこの中にいる……といった設定はミステリ好きにはお馴染みのもの。特に孤島という舞台設定は、犯人候補が絞られるため、推理しやすくなる条件のひとつです。つまり参加者の数が決まっている犯人当てゲームとしては絶好の舞台なのです。

ゲームの進行がリアルタイムで描かれていくため、読者も謎解きの楽しさを十二分に堪能できるはず。もちろん三部作でもその醍醐味《だいごみ》は味わえますが、本書の特徴は、読者もピップの視点からゲームに参加できる点にあります。ピップのブックレットの内容や、その場で得られる情報、さらには彼女の思考はすべて読者に明かされているため、読者も彼女と同じように犯人は誰か推理していくことができます。つまりはゲームという設定を使いながら、読者に手がかりをすべて明かして推理に挑戦させる〝本格推理小説〟というものの面白さを分かりやすく教えてくれているのです（ミステリの定義は広いので、読者には犯人当てが不可能な作品もたくさんありますが……）。ですから、もしもよかったら、あなたもぜひピップと一緒に、犯人捜しに挑戦してみてはいかがでしょうか。参加者全員に、あるいは個別に与えられる手がかりが小出しのため、他の人たちの言動や進行過程で起きる出来事や殺害現場の状況に加え、ブックレットに記載されたそれぞれの情報のどこに着目するか、注意深く検討していかなければなりません。

また彼らが興じるゲームで興味深いのは、「自分が犯人かどうか分からない」という点です。ピップも、自分が犯人かもしれないと疑惑にかられながら推理を進めていきます。犯人は知りたいけれど、自分だったら嫌だな……という心理作用が働くところもまた一興。さらには、ブックレットの指示で理由も分からないまま意外な行動をしなければならなくなったりもします。そこに独特の緊張感が漂います。

自分が握る秘密を人に悟られないように留意しながら、周囲を注意深く観察し、メモを取っていくピップ。相手の反応を見逃さない観察力と、一見無関係に思える情報と情報を組み合わせて真相に近づいていく彼女の鋭さには驚かされます。三部作で発揮する名探偵っぷりの萌芽《ほうが》が見受けられるといえます。

本書でこのシリーズをはじめて読んだ方は、高校生たちがゲームに興じるひとときの話の中でなぜ、彼らが住む町で起きた五年以上前の殺人事件という深刻な出来事に言及されているのかとひっかかりをおぼえるかもしれません。じつは、三部作の第一作『自由研究には向かない殺人』で、ピップが自由研究のテーマとして取り上げるのが、この事件です。「高校生が自由研究で実際に起きた殺人事件を扱うの？」と思われるかもしれませんが、彼女の研究の表向きの名目は「犯罪捜査とメディアの報道のあり方」。でも真の目的は、殺人犯とされた青年サルの無実を証明するため、なのです。関係者に取材を重ねていくピップですが、インターネットなどを駆使して情報を集めていく様子が現代的。ピップの作業記録やインタビュー記録、ＳＮＳの画面の図版なども挿入され、非常に現代的で斬新な構成となっています。

三部作には犯人当てゲームの参加者たちも登場します。すでに読了した人たちは本作を読んで、「この頃の彼らはこんなふうに平和な日々を送っていたのか……」と感慨深く思うのでは。この後、この仲間の中でカップルが生まれたり、コナーの兄のジェイミーに意外な出来事が降りかかったり、さらには……未読の方のためにここでは具体的には記しませんが、どの人物にどんな印象を持ったのか憶えておくと、三部作がより味わい深くなるでしょう（ちらっと出てくるだけの人も、後に重要人物になるので要チェック）。また、本作には、三部作に繋がっていく伏線的な要素があちこちに潜んでいます。

ただ、この前日譚を読むと、ピップが後に自由研究のテーマに件《くだん》の事件を選んだのは、サルのためだけではなくて、この日に犯人当ての面白さを味わったことも大きな要因だったのではないか、という気がしないでもありません。最初はまったく乗り気でなかったのに、どんどんゲームに夢中になっていく様子には、ちょっぴり危うさも感じます。当然、ゲームの事件と現実の事件はまったく違うもの。三部作で現実の事件に関する調査に夢中になっていく彼女には、さまざまな危険が迫ることとなります。それでも謎解きにのめりこんでしまう彼女の危うさが、本書ではほのめかされているようにも思えるのです。楽しいひとときを描いたこの中篇の中に、そんな不穏な予兆を含ませるところに、作者のシビアな一面がうかがえます。

そう、ホリー・ジャクソンはなかなかシビアな書き手です。ピップのシリーズは、少女探偵が華麗に活躍する、痛快で楽しい作品として描くこともできたかもしれませんが、彼女はそうしませんでした。

たとえば本作でも、名探偵役が見事な推理を披露《ひろう》してめでたしめでたし、とはなりません。だからこそ第一作の『自由研究には向かない殺人』に繋がっていくともいえますが

（読んだ方は分かるはず）、同時に、この世の不条理もちょっぴり感じさせる結末です。第一作以降もピップは聡明さとウィットを存分に発揮する一方で、いろんな側面から悩み、迷い、苦しみます。そして高校生が現実の事件に首を突っ込むことの危険性が、リアルに描かれていくのです。探偵役はいつも正しいとは限らず、いつも格好いいとは限らない、という現実を突きつける。これを読んだ若い人が、自分も名探偵になりたいと思って現実の事件の調査に乗り出す……なんてことは絶対にしないはず。

つまりこのシリーズはとても現実的なのです。でも、たとえば第一作の終盤で、小さな町の閉塞感、はびこる人々の偏見、現代の若い世代の生きづらさを浮かび上がらせるピップのスピーチは胸を打ちます。これは、謎解きを楽しませる爽やかなミステリと思わせて、現実社会に対する批評性も含めた作品群でもあるのです。そしてだからこそ、このピップのシリーズは老若男女問わず高い評価を得ているともいえるでしょう。全作読めば読者も、自分の中の正義感、倫理観を見つめ直すでしょうし、さらには自分はミステリやエンタメ作品に何を求めているのかも考えさせられるはずです。

従来の謎解きの面白さと同時に、探偵というもののあり方について真摯《しんし》に問いを投げかけてくる。そんな作品を読ませてくれるホリー・ジャクソンは、非常に現代的な書き手といえるでしょう。

訳者紹介　翻訳者。中央大学文学部卒業。主な訳書にボーエン「ボブという名のストリート・キャット」、キム「ミラクル・クリーク」、ジャクソン「自由研究には向かない殺人」「優等生は探偵に向かない」「卒業生には向かない真実」など。

検印
廃止

受験生は謎解きに向かない

2024年1月12日　初版

著　者　ホリー・ジャクソン

訳　者　服《はっ》部《とり》京《きょう》子《こ》

発行所　(株)東京創元社
代表者　渋谷健太郎

162-0814/東京都新宿区新小川町1-5
電　話　03・3268・8231-営業部
　　　　03・3268・8204-編集部
URL　http://www.tsogen.co.jp
DTP　工友会印刷
暁印刷・本間製本

ISBN978-4-488-13508-9　C0197